国家出版基金项目
NATIONAL PUBLICATION FOUNDATION

《三联经典文库》

第二辑

2012 年国家出版基金项目

三联经典文库

187

鲁迅思想研究

何干之 著

生活·讀書·新知 三联书店

图书在版编目(CIP)数据

鲁迅思想研究 / 何干之著. -- 北京 : 生活・读书・新知三联书店, 2014.1
（三联经典文库第二辑）
ISBN 978-7-108-04461-7

Ⅰ. ①鲁… Ⅱ. ①何… Ⅲ. ①鲁迅（1881～1936）-思想评论 Ⅳ. ①I210.96

中国版本图书馆CIP数据核字(2013)第050940号

187 鲁迅思想研究

责任编辑 胡群英
封扉设计 蔡立国
责任印制 宋 家
出版发行 生活・读书・新知 三联书店
(北京市东城区美术馆东街22号)
邮 编 100010
经 销 新华书店
印 刷 北京鹏润伟业印刷有限公司
版 次 2014年1月北京第1版 2014年1月北京第1次印刷
开 本 787毫米×1092毫米 1/32 印张 9.25
字 数 129千字
定 价 34.00元

《三联经典文库》出版缘起

适逢生活·读书·新知三联书店八十华诞，为弘扬传统，接续文脉，回报读者，服务社会，我们决定策划出版《三联经典文库》。

1932年7月，生活书店在上海创办，此后，读书出版社和新知书店相继成立。本文库第一辑、第二辑所选图书，来自于这三家出版单位及其分支机构，以及1948年生活·读书·新知三联书店成立后的出版物，始于1932年，截至1951年，两辑各一百种。此为第二辑，涉及政治、经济、社会、军事、思想文化诸领域，涵盖专著、文集、散文、小说、诗歌、传记、报道等体裁，既有直面现实、追求真理、讴歌真善美、抨击假恶丑的原创作品，又有引介世界各国先进文化、传播新知、开启民智的迻译之作，真实记录了那一代知识分子的思考与探索、理想与愿景和对中华民族文化传承与创新所做出的努力与贡献。

本文库所辑入各书，多为名家名作，在版本方面，以初版一印本或经著译编者审定、修订、增订过的版本为首选，因此本文库又具有较为珍贵的版本价值和收藏价值。

本文库还将编选续辑，使之成为恢弘文化工程。诚挚希望读者给予批评和指正，帮助我们完善编选工作，再现三联经典作品之风采。殊为遗憾的是，由于年代久远，一些原著译编者及其后人未能取得联系并奉付稿酬，诚盼版权所有者与我们联系。祈愿三联前辈所创造的精神财富能薪火相传，为中华文化的伟大复兴增光添彩。

《三联经典文库》编辑委员会

2013 年 8 月

凡　例

一、本文库为重排本，由繁体字竖排版改为简体字横排版。

一、以忠实于原作、整旧如旧为编辑原则，对当时使用的专有名词、外文译名，以及民国时期的语言和特色予以保留。

一、原书注释如旧，编者所出的注释，均以“编者注”标明，以示与原书注释的区别。

一、对原书残缺或字迹漫漶之处，以□示代。

一、对繁简文本转换时的“如右”、“见左”一类，对应改为“如上（前）”、“见下（后）”。

一、对原书中各种错讹脱衍之处，直接订正，不再以其他符号标示。

一、对数字、标点符号的用法，在不损害原文语义的情况下，做必要的规范。

一、本文库各书均前插原书书影、原书版权页和文库版“本书出版说明”。

一、本书出版说明的撰写，以客观中立为原则，扼要介绍本书的内容、版本流转、著译编者的情况。

本书出版说明

本书是作者何干之读了鲁迅的杂文和小说之后所写的感想。全书一共九章，第一章叙述鲁迅加入战斗的经历，第二章将鲁迅小说和杂文中的鲜活形象当成中国和中国人的镜子来看，第三、四章阐述鲁迅的人生思想、社会思想和政治思想，第五、六章阐述鲁迅的文艺思想，第七章探讨鲁迅表现自己思想所用的方法和形式，第八章阐述鲁迅对于文化遗产的观点，第九章阐述鲁迅研究古典文学的业绩。后来评论鲁迅思想与著作的许多角度、观点和术语都出自该书。

本书初版由东北书店于 1947 年 10 月出版，之后多次再版。生活·读书·新知三联书店于 1950 年 4 月再次出版，内容有所修正。此次出版，即以 1950 年版为底本。

何干之（1906-1969），原名谭毓均，学名谭秀峰，广东台山县人。早年两度留学日本，入早稻田大学和明治大学经济科，回国后曾因宣传马克思主义被当局通缉。1934年加入中国共产党。1936年后开始用“何干之”笔名发表文章，其研究涉及政治、经济、文学、历史等领域。“七七事变”后，先后在陕北公学、华北联合大学、延安大学和华北大学从事教育工作，并担任领导职务。1950年中国人民大学成立后，先后担任历史系、中共党史系主任，被高教部评定为一级教授。著述颇丰，在政治、经济方面，先后出版了《中国经济读本》、《中国的过去、现在与未来》、《中国社会性质问题论战》、《中国社会史问题论战》等；在历史学科等方面，出版了《近代中国启蒙运动史》、《中国社会经济结构》、《三民主义研究》、《鲁迅思想研究》等专著。其中《近代中国启蒙运动史》是中国最早系统论述鸦片战争以来近代思想运动历史发展的著作之一。其编写的《中国现代革命史》和《中国民主革命时期的资产阶级》开创了中共历史研究通史与专史的撰写体系。

生活·读书·新知三联书店

2013年8月

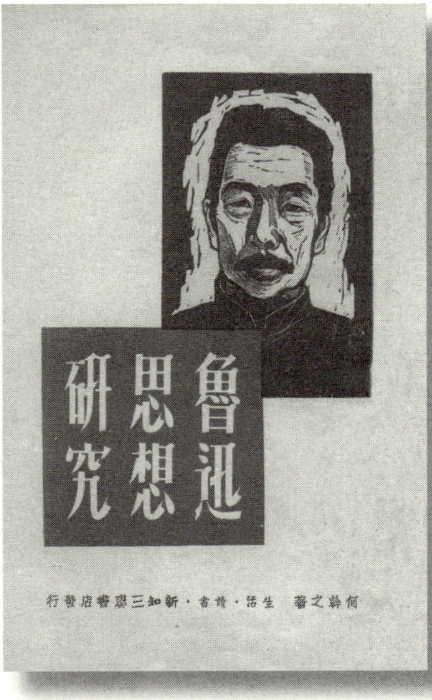

1950 年 4 月初版书影

615・Q290・32K・P.258・$8.00

一九五〇年四月第一版
京華印書局承印
北京造 00001—10000 册

・總管理處・
北京西總布胡同二十九號
・各地分店・
北京王府井　上海南京路　瀋陽太原街　廣州漢民路
天津　濟南　西安　長沙　開封
香港　大連　哈爾濱　重慶　漢口

原书版权页

目次

序　言

这本书是我读了鲁迅的杂文和小说之后所写的一点感想。

本书一共九章。第一章叙述鲁迅的战斗的历史。从鲁迅的经历中，指示了中国新文化的道路。我们说鲁迅的道路，就是中国新文化的道路，这意思说鲁迅由小资产阶级的革命家，变为工人阶级的革命战士，鲁迅的思想，由进化论发展到阶级论，发展到辩证唯物主义，中国文化革命为工人阶级所领导，为马克思、列宁主义所武装，这就是中国新文化所走的道路。鲁迅从实际的体验中认识了马克思、列宁主义的道路，才是真正的道路，小资产阶级的文士，必须与工人阶级携手并进，才有他将来的光明。

第二章我把鲁迅当作中国和中国人的镜子来看的。

即他在小说和杂文里用了活的形象，把中华古国的脸刻画出来。鲁迅的暴露中国社会里的病态，是要引起我们的觉悟，促成中国的改革。这是暴露的、批判的，又是反抗的、战斗的。特别值得注意的一点，是鲁迅所批判的意识形态，原是旧社会里压迫阶级的意识形态，所批判的社会现象，原是旧社会所固有的社会现象。大众也渲染了这种思想，是受了压迫阶级的影响，和被奴役被宰制的结果，各个时代的支配思想，都是那时代中压迫阶级的思想。我们要发展健康的民族精神和培养革命的阶级思想，我们要进行思想革命，将从古以来就流行于大众里面的旧思想，洗涤干净。新中国在创造之中，新中国的文化思想，也在生长之中。

第三章第四章，关于鲁迅的人生思想、社会思想和政治思想。鲁迅所提倡的全体论，包含两层意思：认真和韧战。即做事要实事求是，战斗要持久强韧。他竭力反对骑墙的超然的态度，抨击对于反动势力的屈伏，要我们暴露和揭发黑暗社会的病根，要我们反抗和战斗。

至于社会思想和政治思想，则用“一治一乱”四字，来概括中国历史发展的规律性。所谓治，是人民暂时做稳了奴隶的意思，而所谓乱，则是人民想做奴隶而不得的意思。自有历史以来，中国人民就在同族和异族的屠夫们的奴役下过着和牛马同等或连牛马也还不如的悲惨生活，所以中国历史就这么一治一乱地循环下去。鲁迅又用妇女问题和青年问题来分析中国社会的根本问题，因而认定封建主义和帝国主义是革命的对象，必须首先扫荡这两个对象，中国才能够脱出一治一乱的轨道，而开辟一条新的道路，才能够走上没有贫富贵贱、上下尊卑的共产主义境界。而这历史必然性的体现者则是现代工人阶级。

第五章第六章，是鲁迅的文艺思想。这里我们可以看见伟大的批评家对于文艺问题的观点。鲁迅批判专制主义者们要用清一色的货色，来垄断文化，要用一个题目，来限制了作家们的思想，以及形形色色的遵命文学等，说明了文艺界的阶级斗争。至于革命文学家要接触实际的斗争，文学家要用文学来助成革命，不要利用革命来助成他的名声，文学家对于事业要有恒性，战斗要有韧性等，至今还有完全的实际意义，是革命文学家的最正确的指示。

第七章研究鲁迅表现自己思想所用的方法和形式。他所用的方法是形象化的典型的方法，即他的社会评论是具象的，所取的题材又是典型的性格。他笔下的人物，都是他那时代中习闻常见的中国人，是跳跃着的中国人的模特儿。鲁迅的文笔，有特殊的风格，语汇是丰富的、新颖的、精确的，文章的结构是含蓄的、深藏的。而冷静和热烈，幽默和严肃的萃于一体，更是他的杂文的最高价值。

至于主题的表现法，又是鲁迅的韧性战术的另一表现。主题深藏含蓄，这是鲁迅所处时代的一种特有的文体，他的思想是钻过压制言论自由的网，若隐若现地发表出来。

第八章是鲁迅对于文化遗产的观点。他一方面以封建文化和买办文化为消极因素，而加以批判，他方面又认为中国文化中也有积极因素，尤其是野史笔记杂说中，有极高价值的故实，必须摄取。这是用历史观点来处理问题的。对于孔子和儒学，也采着同一的观点。对于中外文化的交流，则以苏联文化为中国最好的导师和朋友，所以也得了中国读者的热爱和共鸣。然而用着批判的眼光，欧美资本主义文化，也有用处，欧美名著，也可以选译。我们对于外来的事物，首先要拿过来，占为己有，然后用明辨的眼光，挑选有用的东西，据为己有。这就是“拿来主义”。因此，他很看重翻译事业，他自己就译了很多外国书，使青年们获得外国的精神食粮，使中外文化，互相切磋，互相观摹，这也是鲁迅的极重要的功业。

第九章是鲁迅研究古文学的业绩。小说史的著作和小说史料的辑录，是中国文学史的大事。论文学史的根本问题，是研究中国文学的科学见解。鲁迅对于民间文学，非常之重视，以为民间文学是刚健清新的，取了它作为养料而创造新的文学，是常有的事。所以他尝试过把民间的戏剧，改成了新的小说。他这种先见和试作，现今得到广泛的实验，而且发生了最大的效果。

从这些，我们可以知道鲁迅的经历在历史上的作用，可以知道鲁迅的思想批判力的博大和精微，可以知道鲁迅在学艺方面的广度和深度。在这一点上，说鲁迅是中国最伟大的文学家、思想家和革命家，其实并无丝毫溢美之辞，是最正确的结论。也在这一点上，说鲁迅是近代史上的民族杰作，也是极中肯的评价。

鲁迅在二十年前根据着丰富的斗争经验，寻出了一条道路，而这一条路，至今步法是更健实有力，而且一步一步的筑成一个崭新的世界。新文化是新中国建设中的基石，但新文化是在与封建买办的以及各种反动文化的斗争中生长起来的，鲁迅是文化斗争的大纛，他的小说、杂文、翻译，是文化斗争中的丰碑。研究鲁迅所经历过而昭示我们的道路，研究他所确切相信的道路在现在的发展，研究鲁迅三十年中进行文化斗争的业绩，是中国青年们的责任。

《鲁迅全集》共有二十大卷，即小说和杂文，也有六七卷，这是鲁迅著作中的精粹，一般青年大概是难以卒读的，即使要勉力去读，而在二三十岁的青年们，对于鲁迅用来批判旧社会的史实，有的已经不熟悉了。因此，这一本书的出版，对于青年阅读鲁迅的书，还有一点用处，那么，我的目的就达到了。是为序。

一九四九年十月二日记。

第一章 鲁迅经历中所见新文艺的方向

一 医学维新

鲁迅的笔端，常记着章太炎。章太炎去世不久，上海官绅界为他开追悼会，而赴会者不满百人，于是颇有人慨叹于国学大师为本国青年所遗忘。其实这慨叹是不得当的。当章太炎与康有为战、与梁启超战，又曾因文字关系而入西狱，逃日本的时候，青年们都称颂他、崇敬他。这因为他是一个有学问的革命家，用他的战斗的文字，来引导青年，助成革命。但不幸辛亥革命之后，章太炎隐居为山林的学者，忘于政治，远于人俗。他化为逸士，站在时代的圈子以外，自然也为时代的青年所忘却。

这并非青年们对于章太炎一人的独见，而是他们对人对事的通例。所以提倡变法维新的康有为，译进化论和古典经济学的严复，鼓吹文学革命的刘半农，一时都为青年人所景仰，而他们的名声也传播出去，成了时代的启蒙者或先驱者。后来康有为保皇复辟，严复劝进，刘半农复古，向着黑暗的深渊里没去，而他们的名字，在人们的记忆中，也渐渐淡下去了。更可悲的是原先的革新者被封为复古的偶像之后，旧社会又用他的灵位来打战斗的人们，这以新治新，如同以毒攻毒，是旧社会拒绝新思潮所用的最高明的战法。

还有某些文学者，一时极左，左的时候，显着最凶恶的面貌：每次上茅厕都用《呐喊》去揩屁股，教人对旧社会要露出狼牙来。一时极右，右的时候，又现出最卑贱的脸："献检查之秘计，施离析之奇策，起谣诼兮中权，藏真实兮心曲，立降幡于往年，温故交于今日。"历史的轮子是不惜辗碎任何倒退的人的。所以在革命行进之中，"有人退伍，有人落荒，有人颓唐，有人叛变"。革命战线中的分裂原是势所必至的事。然而革命越到最后，也就越加证明什么人是最坚实最精粹的战士。这是韧性斗争的必然的趋势。唐僧经历了八十一难，才到西天取经，人生的试炼，也要经过八十一难，只有到最后，才显出谁是最精锐的斗士，最勇猛的战将。

战斗原是对于外界的盲目力量的反应。一个人的境遇决定他对于阶级斗争所采取的态度，而生于旧世纪末新世纪初的衰败了的中国和破落了的家庭的鲁迅，从小到壮，从壮到老，从老到死，也是一个勇猛的闯将，旧世界的贰臣。

童年时代的生活经验，对于一个人后来的思想，往往有极大的作用。有的人小时候极小的言事，都可以影响他一生的事业。如果是连续而来的大刺激，那意义就更不用说了。鲁迅从小就爱好图画，《毛诗鸟兽草木虫鱼疏》、《花镜》、《绘图山海经》、《尔雅音图》、《玉历钞传》、《二十四孝图》等，他都看过。其实活泼无邪的小童，要看这些近于迷信或近于说教的图画，已经很可怜了。但在清末我们究竟怎样教育儿童呢？儿童未进书塾，在家里，要静默，要听话，不能走动，一动，甚至于拔草根，翻石头，就算作顽皮。进了书塾，在学堂里，只是：读书、写字、对课；不准动、不准嚷，也不准问。总之中国历代相传的儿教是“要使孩子的世界中没有一丝乐趣”。

民国以后，儿童总算也有玩具可玩，有图画可看了，但这些又都是不切合于实用的。如儿童们所看的画本罢，其中的人物，大抵不出两种，不是显着流氓相的顽童就是现出死人一般的好孩子。至于农村里的儿童，则连坏孩子好孩子的画本也没有。鲁迅见了这种不合理的现象，因而毕生执拗地攻击着中国人由古及今的教育儿童的方法，这正是历久被压抑的反应，反抗的叫喊。中国的儿教使鲁迅从小就种下反叛的意志了。

然而不幸的遭遇却连续而来。家庭忽而遇了一场大变故，祖父下狱，一家四散，而他则寄住在亲戚家里，被人称为乞食者，再没有家道兴盛时的那种情谊了。不久父亲又生了重病，为了张罗医药金，出入于质店里，又遭了人们的侮辱。十来岁的孩子就经历过成人的悲哀。但给鲁迅最深的印象还不是人们的侮辱的眼色，而是对于被欺骗的心灵的伤害。父亲病了，就得请医生来诊。因为常相接触，也颇领会了庸医的秘密。中医有“医者意也”的胡说，以医为意，这方术推广起来，于是医者所用的药料，更稀奇古怪了。特别是药引：经霜三年的甘蔗、原配蟋蟀、平地木、败鼓皮丸……。还有“医能医病，不能医命”，医好的是病，医不好的是命，他父亲的命不好，所以终于医不好而亡故了。

由于自己的升沉而看出人们的眼色的变化，又由于父亲的死而觉到庸医的误人，自然发生极大的愤怒。忍耐不住，因而也只得走异路，寻异端去了。其时为旧世界所咒诅而认为魔鬼的是新学，鲁迅进过雷电学堂，又进过矿路学堂。然而那时所谓新学，也无非是不三不四的混合体，所以学生们一面读洋书，一面做史论，学堂里还有所谓螃蟹式的态度，关帝庙之类。但学堂究竟是外国的模拟，也有格致、算术、地理、历史、绘图、体操，还可以看到《时务报》、《译学丛报》、《天演论》等。被压抑和被欺骗的心灵，一旦和新学相接触，把原先医生的医理和药料，与现在所得的知识一来比较，即发生了极大的反应，于是悟出了中医原是有意无意的骗者，而对于被骗的死者及其家族，更起了极深的同情。

老栓一想到小栓的新的生命，自己也仿佛像一个少年，有了新鲜活泼的朝气似的。但人血馒头是包医不好痨病的，小栓终于死了。单四嫂子自从宝儿死后，觉得屋子里又静、又空、又大，从前自己纺着纱，宝儿坐在傍边，说："妈——爹卖馄饨，我大了也卖馄饨，卖许多许多钱——我都给你。"那时候虽然也是挣扎着过活，但这话无形中鼓舞了她对于生的留恋，觉得纺出来的棉纱，也仿佛寸寸都有意思。然而宝儿也为庸医的胡说所误而死。难道小栓和宝儿早已注定了有医不好的命吗？决不是的。这小说里的故事，其实是死于非命的中国人的哀音，也是鲁迅对于有意无意的骗子的憎恶和对于被骗者及其家属的同情的回忆，何况自己和自己的老子正是被骗者中的一个呢。

其时他还有一个难以处理的问题：毕业后怎样谋生。人们往往批评中国教育无用：学非所用。我想这评判还摸不着新学的痒处。用处固然谈不到，其实学生在学堂里又学到了什么？原来创办矿路学堂是因为青龙山的煤矿有出息，兴学完全是从功利主义的立场出发的。最可怪的是为了节几文钱经费，开学前又辞退了原来的工程师，到后来，连煤在那里也茫然不知，连教书的人也是门外汉，又何敢期望于学生有什么技能！

学生们虽然爬过桅杆，却不能当一个水兵，钻过煤洞，也不一定就是一个矿夫。爬桅与下洞，所得的既是一无所有，结果也只剩下一条路：到新学发源地的外国去。其时可去的外国是日本，而他所选择的是医学。青年人是爱做梦的，鲁迅当时自以为找着所走的路了，所以常做着梦。他梦想着医学毕业之后可以救治中国人的疾苦，可以医疗中国人的体质，并且可用医学来促进中国维新，经历过许多人生的辛酸和痛苦，他找着了科学救国的道路了。

二　文艺至上

经验是宝贵的，但经验的获得必须付很大的代价。

鲁迅是抱着医学维新的大愿到日本去的。这也许是青年们的美梦罢，但一到日本，事实又把这美梦轰毁了。他逐渐省悟了原来中国的所谓呆子、坏呆子，并非医学所能治疗得了的。庄子曰："哀莫大于心死，而身死次之。"内心死了，身体活着，这只是行尸走肉而已。治中国人的病根，不是先医身，而是先医心，而医心的药料，自然首推文艺，他从此由学医改为学文艺了。

甲午战争之后，识者们以为中国非维新不可，于是由仇洋一变为崇洋。又以为日本的富强，得力于维新，中国要图富强，就必须先学日本。所以当时留学日本是青年们求进身和图富强的门径。

东京的上野公园，春季开着艳丽的樱花，是颇引人入胜的。花下也常出现穿着制服的中国学生。有的头上盘着大辫子,使制帽顶上高耸起来。有的又解散了辫子，盘得很平，一脱帽，油光可鉴。中国人的辫子，是用许多代价然后留定了的。明末清初的血案，不必多说，后来还得了猪尾巴的诨名。那时，人们的辫子，不全留，也不全剃，又打起来盘在背后，还穿着学生制服。如果用作万国人形展览会的标本，这确是很出色的，但竟变了出国的学生们的模样，可真教人有点难为情。并且可以看出还有潜伏着的难以改革的“国民性”。如果有人不同意这意见，说，辫子和“国民性”有什么相干？即使有多少关系罢，这又算什么？但请问诸君：连辫子也不肯剪去的人，他肯去变更国体吗？这不能不使觉醒的人对于维新发生了悲观。

中国留学生的生活，也很使人诧异的。留学生里面，大抵学法政、实业、警察的居多。这些，在他们看来，自然是救国的第一着了。然而中国留学生会馆的洋房里面，到了傍晚，地板上常咚咚地响，而且灰尘乱飞，原来是留学生在里面学跳舞。未学懂法政、实业、警察，先学懂了跳舞。自然，舞蹈也是洋人的东西，但要用舞学救国，的确是稀有的事情。对于这些狂妄的新党，脑质硬化的妄人，你即使医好了他的体质，有什么用？这使提倡医学救国的人，首先动摇起来。

而尤其惊心动魄的刺激是电影上的示众图。那时日本医学校已用活动电影来教授生物学了，有时还加映几片时事片。有一回开映的是做了俄国侦探的中国人，正被日军砍头示众的画片。在一个大广场上，围着许多人，一个执着大刀，一个跪在面前，还有一个监斩者，其余的都是观客，斩手和监斩者是日本人，被斩者和观众都是中国人，而且脸上毫无半点表情。

中国人，在他心目中，其实是善于观赏示众，观赏同胞被同胞或异胞枭首示众的盛举的人，于是他的心境因而大变了，以为医学并非首要的事。因为凡是愚弱的国民，即使体格十分壮健，也只能做着毫无意识的示众者与观赏者，或多或少对于国事是没有多大损益的。所以救国的要着，在于改变国民的精神，而改变国民精神的最有力的工具则是文艺。心死大于身死，医心重于医身，由于这人生的启示，他从此改学文艺了。

而那时，在中国最时髦的救国论是：富国、强兵、立宪、国会。自然，这些都不失为救国的一种办法罢，但维新革命志士们的那些救国主张到底是怎样呢？正如他所批评的，提倡武备图强的人，虽然也相信船坚炮利是谋国的要事，但其实是预备着在将来用其所学来干预国政。而主张实业兴国的人只不过要假借名义以积蓄资财，使自己温饱。即使将来亡了国，更不幸当了犹太人，而善于退藏，也还可以幸免。至于鼓吹立宪国会者，无非要扮演共和国的形式，使事权言议都掌握于绅商手里，而自己则由此达到干禄的私欲而已。

他的批评后来都不幸而言中了。民国以来，善于干禄的军人，唯利是视的商贾，窃取权柄的政客，有几人不是当年慷慨激昂的维新党？暴君专制变为酷吏专制，遭殃的依然是中国的人民。

和这些曲论对抗的是鲁迅的《文化偏至论》、《摩罗诗力说》。文化偏至，意思是文艺至高，摩罗即天魔或撒但，意思是异端。于是尼采、易卜生、拜伦、雪莱、普式庚、显克微支等，都被视为他的同调者。又赞美摩罗诗人。“无不刚健不挠，抱诚守真；不取媚于群，以随顺旧俗；发为雄声，以起其国人之新生，而大其国于天下。”因此鲁迅揭起了非物质重个人的文艺革命的大纛。发展个性，崇尚主观，匡正流俗——总之，个性主义，是当时鲁迅的思想的根本。在现在看来，个性主义是早已被扬弃的思想了。这是资产阶级学者拒绝工人阶级在革命之中的领导作用的毒计。尤其是尼采的超人思想，在帝国主义时期中发展为日耳曼人超越一切的狂狺，为德国法西斯主义和军国主义作了理论上的根据。但在一九〇七年鲁迅所提倡的个性主义，却别有所企图，是有着进步的意义的。他以为拜伦等为清末青年们所推崇，是因为他们叫喊复仇和反抗，容易引起感应，所以他的神往于呐喊和反抗的作者，是为了介绍他们的思想于中国，使有助于抗满的斗争，这利用文艺的力量来改良中国的企图，是有积极的作用的。

要输入欧洲文艺思潮，自然也竭力反对思想上的闭关主义。因为大凡闭关自守的国民，不与世界文明相接，无可师法，一旦遇着新力的袭击，也只有抱残守缺或日趋灭亡。因此输入思潮，是在互相切磋，互相观摩，使“思想为作，日趋于新”。

可是要翻译介绍反抗作者的作品，又必须求索新的战友。后来在自己的周围，也寻到几个人，于是预备出版名为《新生》的杂志。但杂志还未出世，预定着写文章的人和出版的资本都已逃走，后来剩下的几个人，也为了各自的事情而四散，《新生》于是流产了。人生最可悲哀的事，是一主张出，并没有反应，不加以赞同，也不加以反对，使你落得一个人在荒野上独叫。有谁见过世人的白眼，大概可以感到这种冷遇的凄清。这种苦楚的经验，使他感觉着无声的中国的萧条景象，不但没有怨怒或反抗的声音，连哀思的声音也没有了。

在沙漠上奔忙、叫喊，遇不着一个相应和的人，这确是使人寂寞的事，因而也只得沉思而又沉思。鲁迅早期所写的小说，虽然到处都显出作者的倔强性格，而笔锋常带着忧郁的情调，这恐怕就是历久的寂寞经验的反应罢。

三　与封建僵尸战

一个抱着寂寞的心境的人，在沙漠上，走来走去，如孤独者、如漂泊者，这是人生中最可悲哀的事。但寂寞是不能不要驱除的。其时鲁迅所用驱除寂寞的方法，是麻痹和忘却，使思考神经麻木不仁，不思不想，思惟被麻痹，那自然也再没有年青时那种慷慨激昂的思想了。

不久辛亥革命成功了。但辛亥的光复，只是“咸与维新”的盛举，旧派势力并未受过破坏。所以袁世凯仍旧爬上总统的宝座，而在各省，或者旧派窃取权柄，政府改头换面，或者革命新贵跃居要道，旧派的人，来包围、来帮闲。光复后浙江绍兴的军政府，先由几个绅商所组织，不久王金发带兵进城，做了都督，但又被许多闲人们所包围，这正是那时中国的一角。临民者由一独夫变为千万无赖，小民只有苦上加苦。其实要奴才来主持国政，事情那里会弄得好。所以中国国号虽则由专制换了共和，而货色却依然如旧。民国元年以来，中国人那里享过共和国人民应有的权利，新漆脱落，旧相再现，国事只有坏而又坏而已。于是见过辛亥革命，见过二次革命，见过袁世凯称帝，张勋复辟的人，看来看去，越看越怀疑，因而由怀疑而失望而悲观了。

但鲁迅并没有完全失望，并且怀疑于自己的失望，因为他所看见的人们、事件，究竟是很有限的。一间铁屋子里，被锁着许多正在熟睡的人们，不久就要闷死了的。但如果其中有几个觉醒的人，“毁坏这铁屋的希望”未必完全没有。同样的，中国人之中，也未必没有几个觉醒者，所以国事也未必没有一线的希望。“希望是在于将来”，但必须先有清醒的人们，虽然起初只是几个，所以前驱者的叫喊，就有力量了。

“绝望之为虚妄，正与希望相同。”——既然绝望于绝望，绝望之后而来的正是绝望的对立物：希望了。于是鲁迅开始加入《新青年》的启蒙运动了，有了提笔的勇气，就用着他文学上医学上的修养写成了新文学的第一篇《狂人日记》，鲁迅是和《新青年》的先驱者一同为革命而呐喊了。

然而由此岸到彼岸，由黑暗到光明，首先要明白此岸的黑暗现象是什么，寻着从此到彼的道路。但有些人是讳言黑暗的、讳言此岸的。他说我们是无须掩饰社会的黑暗，更无须障住自己的眼睛，“即使所发见的不过完全黑暗，也可以和黑暗战斗的”。明白这一点，也知道鲁迅的笔端常常暴露旧社会的病态人物，这并非使人颓唐丧志，而正是唤起人心，与黑暗抗战。《呐喊》、《彷徨》里的人物十九都是有病态的。见了什么人都以为来迫害他的病狂患者；没有进学，又不会谋生的书呆子孔乙己；教人觉悟清国的天下是我们大家的天下，而终于被枭首示众的瑜儿；在寂寞而空虚中过日子的单四嫂子；骂人骂事嘴巴不离一代不如一代的九斤太太；辛苦强韧而生活着的良善农民型闰土；还有一生被人践踏而死的祥林嫂；做人敷敷衍衍、模模糊糊的吕纬甫；顽固的老新党四铭；在吉光屯闹着吹熄长明灯的“疯汉”；打牌、看戏、喝酒、追逐女人的国粹家高老夫子；寂寞者魏连殳——这些人物的模特儿，没有一个不是不幸者，同时也没有一个不是旧社会里的现实的人。

《热风》、《坟》里面的评论和杂感，所评所感的，也都是这旧社会的现象。他评扶乩、评静坐、评打拳、评国粹、评经验论、评讽刺画、评虚无哲学、评国学家，以至评节烈、评亲权、评安天乐命说、评坚壁清野主义、评寡妇主义、评“费厄泼赖”——这些也没有一样不是病态的思想。

这都是社会的真实，是觉醒过来的人所发的真声音。好的叫出来是好，坏的叫出来是坏；“我们还要叫出没有爱的悲哀，叫出无所可爱的悲哀”。第一本杂文集取名为《热风》，有什么意义呢？他所写的文字，如果是冷的，那它就没有生命，但他觉得周围的空气实在太凛冽了，只得说着自己的话，所以反称这书为《热风》。

这是现实主义者的态度。有良心的作家们，断然不能掩饰社会的黑暗而写出心造的幻境，写出黑暗是为了追求光明。所以当社会盛行着“啊呀！这孩子呵！你瞧！多么……。呵唷！哈哈！”的言论的时候，他敢于叫出真实。黄莺在歌唱，鸱鸮在号叫，它们并不知道人们憎恶它还是喜欢它，只知道自己能唱能叫，就如此这般的唱或叫而已。

鲁迅并不以为中国永远没有光明，他要从黄埃中看出明丽，即从黑暗中预见光明，揭出黑暗，预示将来，这也是革命者的任务。于是他借着狂人的嘴，说出了自己对于中国的希望：救救孩子。孩子是未来的一代，所以他自己和闰土虽然互相隔绝，却还希望自己和闰土的后代，能够相通。现在的社会是不满人意的，但人们不必迷恋于骸骨，为死鬼的魔力所征服，因为前面还有希望。中国的希望也在将来，而创造中国历史新时代的，他那时认为是中国青年们的使命。这是进化论的历史观点。进化论有一个基本原理，如他所说，是将来必胜于现在，青年必胜于老人。抽象地这样说，是不完全正确的，他晚年也批判了这样的观点。因为历史也有逆转的时候，而某一个进步或反动的阶级里面，有年青的人，也有年老的人，不能一概而论。但在那时，从批判的立场看来，把传统思想作根本的否定，也是有革命的意义。还有一层，这样的见解，可以说是早期革命的联合形式的反映，也是小资产阶级对于阶级关系的一种朦胧的认识。

但创造是由破坏来的，不破坏旧的，也不能创造新的。然而有破坏未必即有创造，中国从古以来的破坏不谓不多了，有的破坏，借此来据天下为己有，有的破坏，又借此来占些小便宜；这都是单纯的破坏，结果社会只留下一片瓦砾，而人们又在瓦砾中修补老例。

这破坏和破坏之后的修补，都与创造不相干。中国所要求的是革命的破坏，即把所有阻止社会进步的障碍物扫荡以后，再在这废墟上，自造新例。创造不是在瓦砾中修补老例，而是在废墟上建设新世界，这是战斗之后而出现的新景象，也就是进化的路。

四　与欧化绅士战

中英鸦片战争以来，中国经历过二千年来所经历不到的事变，弄明白先前弄不清的问题。急激的剧烈的阶级斗争，使不少思想家抓不住时代的方向而沉没到大海里去了。民国元年以前，康有为在一般老顽固的眼里，是洪水猛兽，民国八年“五四运动”以后，康有为在青年们看来，也是洪水猛兽。同是一个恶谥，而涵义却完全两样，前者说康有为太新，后者说他太旧。“五四”之后不久，中国思想界又经历过一次分裂，新青年派内部的分裂，“有的高升，有的退隐，有的前进”。有的高超的欧美学者们是不言金钱吃饭等俗物罢，这恐怕是他们有几文钱吃得胖胖的缘故。其实这些人才是真正的“唯物主义者”。“你们待我这么好，就是要说坏话，也不好说了。”既然旧中国是他们最适宜于生存的所在，于是他们跑过去，高升了。又有某些人，原先是战斗过来的，是前驱者。但时代终竟有进步的，时光一过，革命的谥号被冲淡，而自己又功成名遂，自然也随俗一些，于是变成一个干干净净的名人，结果，他们退下来归隐了。至于意识着自己的前驱使命的和社会发展规律的革命者则又站起来，前进了。

而在高升退隐前进之外的是彷徨者。“两间余一卒，荷戟独彷徨。”他在荒野里独自徘徊，自然常常发着这样的疑问：新的战友在那里呢？但他又觉得这疑问其实是不应有的。可是怎么办呢？“路漫漫其修远兮，吾将上下而求索。”漫漫的路是十分十分遥远的，我要上天入地去寻求我的同伴。这屈原《离骚》里的警句，做了他寻觅生力军的座右铭。但在北京，又逃出北京，上下南北求索的结果，新的战友在那里？宗教家有他的所谓天堂，圣贤又有他的所谓将来，但人们往往讥笑牧师的说教而叹服于圣贤的所说。他则认为圣贤的所谓将来，和牧师的所谓天堂，并没有两样。既不相信哲人、学者、宗教家的指引，孤独地在人生征途上前进，遇着了穷途或歧路又怎么办呢？遇着歧路的时候，选一条可走的路走上去，遇着穷途的时候，也还是跨过去，在刺丛里走着。是自己的所是，非自己的所非，走着自己以为可走的路，人生征途上孤独者的前进就是这样。他说：“我自己，是什么也不怕的，生命是我自己的东西，所以我不妨大步走去，向着我自己以为可走去的路；即使前面是深渊、荆棘、狭谷、火坑，都由我自己负责。”他沉默着，甚至于藏匿起来，不愿说话，即使不得已要说几句，也说得含糊、中止，即讲了一通，依然是一无所有。在《坟》的后记里曾吐露过那样的心境。他解释他所以抱着这样的思想，是由于自己也还在摸索之中，不知道那一条是最正确的路，因而不愿把未熟或甚而错误的意见传给人，使反对者在旁边暗笑。这可见他对于反对者的敌忾是何等的炽烈，而对于青年们又寄与何等深厚的真情。还有一层，鲁迅在人生长途上前进，三四十年，见过专制、革命，见过暴君、奴才，见过洋人、西崽，见过狮子、老虎、大鹰，见过哈叭狗、蚊子、蝇子。他叫喊过、战斗过，从痛苦的经历和深刻的观察中得着许多宝贵的斗争经验。由新青年团体的散掉到他转变为阶级论者之中，中国社会经历过未有的激变。南京路上的血痕，北京国务院门前的屠杀，广东革命政府的出现，北伐战争的成功，这些都是惊天动地的事件。“革命把社会上各个阶级都发动起来了。革命在国内政治生活中所引起的转变，推动它们离开旧日的惯常地位，使其不得不重新布置自己的力量来适应新的环境。”(《联共[布]党史简明教程》）这是一九〇五年俄国革命中阶级关系的变动，这现象又再现于十四年五月三十日之后的中国，所以中国思想界又经历着一回大分裂，老新党已经没落了，有西洋古典知识的绅士们出来补了他们的空位。新的症候必须改用新的国医、新的药料，于是这些欧化的搢绅先生和中国的屠夫们相呼应，来支持旧中国的残局了。

这些人物儿是当未叮人之前，要哼哼地发一篇大道理，使被叮者承认自己的理应被吃的蚊子；是嗡嗡地吵了一半天，停下来，揩一点油水，而且在被揩的东西上照例拉上一点粪溺的苍蝇。他们是山羊，脖子上挂着一个小铃铎，作为知识者的徽章，领了群众平平稳稳地走去，直到他们该去的所在。但胡羊不听话，不循着正路，而偏走邪路的时候，又怎么办呢？那时他们又以俄国老婆子式的文人学士的面目出现："你看，我以前被我的主人打过两个嘴巴，可是我一句话都不说，忍耐着。究竟后来他们知道我冤枉了，就亲手赏了我一百卢布。"用花言巧语，把人们都推到地狱里去，而这些可憎的虫豸、山羊、恶毒的婆子，又一面用愚民政策，一面用愚君政策。愚民是便于帮闲，愚君则是便于操纵，于是他们利用了自己的名位挟天子以令诸侯了。他们的立身处世的秘诀是瞒与骗、谄与骄。但善于豹变，只知利用，言行相乖，毫无特操，那些人其实只是"做戏的虚无党"。

中国屠夫们治国平天下的巧计，就是靠着这些卑鄙、伪善的奴才。这些人物儿，有的说，中国不必打倒帝国主义，也不应有"分裂与猜忌的现象"；华人和洋人，华人中的高等者和下等者，一团和气，于是天下太平。有的说："打！打！宣战！宣战！这样的中国人，呸！"意思是说你们敢说打！宣战！你们配说这样的话吗？你们不怕吗？中国人是该被打而不敢作声的孱头。对于这些帮闲文人以至他们后面的主子，当大家愤慨于上海残杀市民喊着一致对外的时候，鲁迅又唤起人们注意："中国有枪阶级的焚掠平民，屠杀平民，却向来不很有人抗议。"这话一面警告我们不可忽视国内阶级问题，一面又含有深沉的意义："一个人而至于乏到自己打嘴巴，也就很难免为别人所打。"这就是灭亡者是先从本身自杀自灭起来的意思。而事实也正是如此。十五年三月十八日的惨杀，这些绅士们说国务院前原是死地，所以群众领袖应负道义上的责任。在暴吏专制之下，连请愿的自由也没有，还有什么对外抵抗的力量?

中国的阶级关系变了，必需新的人才、新的帮闲者，他们因而也交了鸿运。前面个动物，脖子上挂着小铃铎，后面一群羊，挤挤拥拥但又规规矩矩地随着奔跑，只要没有人来捣乱秩序，这戏法比起民初的袁世凯以至后来北洋军阀，高明多了。然而真的没有人去捣乱他们的阵地吗?药料的作用真的是如此灵验吗?可是有人偏要在庄严高尚的绅士的外衣上，戳它一下，偏要在他们所造的高墙上，挖一个洞放进可恶的东西，使他们不得宁静。鲁迅的文章使正人君子们深恶痛疾，这因为他所发的飞石，击中了他们的致命处的缘故。

五　从进化论到阶级论

由北京出走至厦门，而厦门也并没有解决他思想问题的物质基础，所以孤独、怀疑的心情，并没有减少过些许，并且正人君子们不久又渐渐盘据于此地。这些妾妇们，奴才骨而奴才皮的人们的惯技是嫉忌、诬陷、排挤，所以在这孤岛上也全是语言无味的人们。大学里充满着排挤现象，教育界全是争地盘的大小无耻者，大沟和小沟，都不干净，于是这小岛上只徘徊着一个孤高的人。

记得还是去年躲在厦门岛上的时候，因为太讨人厌了，终于得到“敬鬼神而远之”式的待遇，被供在图书馆楼上的一间屋子里。白天还有馆员、订书匠、阅书的学生，夜九时后，一切星散，一所很大的洋楼里，除我以外，没有别人，我沉静下去了。寂寞浓到如酒，令人微醺。望后窗外骨立的乱山中许多白点，是丛冢；一粒深黄色火，是南普陀寺的琉璃灯。前面则海天微茫，黑絮一般的夜色简直似乎要扑

到心坎里。我靠了石栏远眺，听得自己的心音，四远还仿佛有无量悲哀、苦恼、零落、死灭，都杂入这寂寞中，使它变成药酒，加色、加味、加香。

——《三闲集·怎样写》

这仿佛见了一个困顿的老人，在无边际的荒原上，独自徘徊，没有感应，只剩下一个孤单的身影。本来他可以休息一会了。然而在前面，不时有一点声音，在催促着、呼唤着，使他歇不下，稍微恢复了些气力，又要走上前去。

于是鲁迅又由厦门到广州去了。未去之前似乎也听见或预见广州也不过如此而已的地方，但广州是此地的前面，也走上去了。他是怀着希望的心向这前面走去的，他还预备着继续作文艺运动，并且与别的文学团体联合，造一条战线，向旧社会总攻。然而广州和厦门和北京，依然没有大的两样。广州是中国的一部分，是这幅“不类人间的图”的一角，只是各地所着的颜色有些不同而已。革命了许多年，广州并没有受着革命的影响，旧的制度，旧的思想，旧的生活，旧的人物，未曾被革命的风浪所动荡过，“广东仍然是十年前的广东”，是“军人和商人所主宰的国土”。其实，主宰者不变，无论画着什么花样，货色仍然如旧。而大多数的人们，则是循规蹈矩地在“奉旨革命”，甚至于有苦、有不平，像“可叹也夫”那样的哀音也叫不得。可是正人君子们，不成问题，都来革命，都来“打倒反革命”了。于是由战士们的血肉所培植的革命的花果，因为继续培养的人们少，而赏玩、折攀、摘食这果实的人们太多的缘故罢，也不再有的了。至于为鲁迅所祈愿为新时代的创造者——青年的行径，尤使人惊心动魄。“我至今为止，时时有一种乐观，以为压迫杀戮青年的，大概是老人。这种老人渐渐死去，中国总可比较地有生气。现在我知道不然了，杀戮青年的，似乎倒大概是青年，而且对于别个的不能再造的生命和青春，更无顾惜。”青年人的战线分裂了，摧残个性的，老人之外，还有别的青年也在内。

那时候，中国的国粹，也一时声价百倍地为外国强权者所重视。金文泰在香港大谈整理中国国故，以为中国人为顾存中国的学问，为发扬中国的国光，使中国道德学问普及于世界，不可不提倡国粹。因为有港督和港绅的倡导，我们的侨胞也知道“崇拜本国至圣，保存东方文明”。但是港督所倡导保存的是国粹，侨胞所遵奉保存的也是国粹，而不是国粹以外的新制度，也不是国粹以外的新学说。这是利用我们的旧文化来治我们这衰老的民族的毒策。而且他们用的是软刀子，分明在杀人，但又使被杀者不觉其死，由此使中国国粹永远保存，使中国人永远和世界隔离，渐渐消灭。这正是“崇正辟邪”的德政的必然结果。

鲁迅发现了自己是一个落伍者，因为他觉得还再发那四平八稳的救救孩子的议论，是已经空洞无物了。他又发现了自己是一个筵宴的排设者，使青年锻炼了更敏锐、更细腻的脑子去受苦，于是他沉默了。这并不是否定了进化论的观点，而是更明确地去辨别青年群中的明暗两面；也不是使青年人更迟钝、更麻木，而是在集体主义之下，更有效地去培植他们的实力。于是商人、军人、欧化文士和外国强权者的新结合，使被损害被压迫的人们虽然一时被吓得目瞪口呆，但终于看清了地主和农民的问题以外，还有工人阶级的领导问题，并且这两个问题有机的连结起来。而后一问题则有更根本的意义。因为惟有工人阶级是“明白旧的，看到新的，了解过去，推断将来”的阶级，俄国革命后社会主义建设的成功，就是一个铁证。于是省悟了先前时时说些自己的不幸的事，好像全世界的苦恼，萃于一身，为大众受罪似的，正是小资产阶级的根性。从此就确信新社会的创造者是工人阶级，不但扫除一向由资本主义的反宣传所引起的怀疑，而且增加了新的勇气。革命的文士，在他所经历过的经验中，认清了自己的理想，只有同着工人阶级前进才能实现。于是他的“将来必胜于过去，青年必胜于老人”的进化论，在广东，因为目睹了同是青年而分成两大阵营的事实而被轰毁了，并且看了几种科学的文艺论的著作，而纠正了只相信进化论的偏见了。

鲁迅其时就站在自己的位置上，提出了新的问题。这新的问题是革命文学政策的论辩。

鲁迅是一九二七年十月回上海的。这前后，上海文坛早已挤满了破落的知识青年，他们都是中国社会所挤出的赤贫者。这些无家可归的文学者首先卷进革命的潮流里。他们之中，那些要求新刺激的无聊的文士，以至挂起新的招牌，来企图取得更多的利益的或借阶级斗争为武器的骗子，不用说，都是颓废者，或投机者，就是那些“或者因为看准了将来的天下，是劳动者的天下，跑过去了；或者因为倘帮强者，宁帮弱者，跑过去了；或者两样都有，错综地作用着，跑过去了”的慷慨激昂的革命文学家也有其必然性的病根。他们自以为是工人阶级所选出来包办文化事务的使者，而对于本团体以外的作者，却趾高气扬地要判他的阶级，又要问动机；并且“摆着一种极左倾的凶恶的面貌，好似革命一到，一切非革命者就都得死，令人对革命只抱着恐怕”。有的还在革命的咖啡店里“喝着、想着、谈着、指导着、获得着”。至于所提倡的文学，依然只是一个题目，各人只热心于输入名词，而并不知道这名词的涵义，所以文坛就给几个出题目的人圈了起来。大家尽管在议论，说这个好，那个不好，争来争去，说了一大篇，依然是纠缠不清的疑问。

文艺界的新问题是怎样扫荡机会主义和招牌主义，怎样清算小团体主义和行帮主义；是文学作家怎样去接触现实的社会和掌握革命的实际，从此脱去杜撰式的革命文学的樊篱；是怎样翻译科学的文艺理论和吸收先进国的革命经验，因而打破被包围的圈子。鲁迅一九二八至三〇年所作，后来收在《三闲集》和《二心集》的文章，对于文坛上的小团体主义、招牌主义、公式主义，有过严正的批评，这是中国新文艺运动的最重要的历史文献。而一九三〇年左翼作家联盟的成立和大量新文艺理论著作的翻译，可以说是这争论之后鲁迅所手造和别人所帮造的光辉的功业。因为左翼文学战线由此扩大，战斗的步调因而一致，而输入科学的文艺理论，又使大家能够互相切磋，更加坚实而有力。这战功使左翼文艺，其时成为全国唯一的文艺。这是与鲁迅的名字互相辉映。自然，革命文艺在那时是受着古今中外所少有的摧残和压迫，然而它始终是曲折地成长着，正如植物被压在石头底下，只好弯曲地生长一样。因为这是属于人民大众的，大众存在一日，壮大一日，革命文学也就滋长一日。也因为同一的理由，将来正属于这一面。

第二章　中国和中国人的镜子

一　画眼睛

文艺是现实的反映。所以伟大的文艺家也一定是清醒的现实主义者。法国的巴尔扎克，俄国的托尔斯泰都是一代的大文豪。巴尔扎克的所以伟大，因为他写出了法国的历史——比历史家经济学家所写的合拢起来还更丰富更现实的历史。托尔斯泰的所以伟大，因为在他的作品里，刻画了俄国农民的弱点——懦怯、愚昧、守旧等，他是以俄国农民社会的镜子而出现了。

我想把鲁迅当作一面中国人的镜子，是恰当不过的。的确，他的小说和杂文把中国和中国人的嘴脸惟肖惟妙地写了出来，或者说他戳破了中华古国的脸谱。鲁迅说他做小说是与前驱者取同一的步调的，所以把自己所做的小说当作“遵命文学”。当然这并不是赵太爷的命令，也不是财神和指挥刀的命令，而是“革命的前驱者的命令”，是“自己所愿意遵奉的命令”。这样的文学一定是有倾向性的，即是为人生的启蒙主义文学。至于在小说里揭发了社会的病根，他的意思也无非要引起注意，催促战斗，助成革命。鲁迅的短篇小说《呐喊》、《彷徨》，历史小说《故事新编》以及《朝花夕拾》、《野草》等，里面最精采的就是暴露现实的作品。还有杂感杂文等，不妨说也属于这一类的文字。他又曾怀疑自己是否能够写出中国人的灵魂，因为中国人之间有一座高墙，使人们不相通不了解。但他所写的确实是他所熟悉的中国和中国人。

民国十四年以后，中国社会的激变，使文艺家不能即刻把自己的思想感情，化为文艺的创作。但时势是多么迫切呢，那么作者对于社会的坏处，必须立刻反应和抗争，所以当某些人讨厌他的杂文，怪他什么都感想一下，但愿他“发奋多写几部比《阿Q正传》更伟大的著作”的时候，他却淡然的回答：“中国的大众的灵魂，现在是反映在我的杂文里了。”事实确是如此，鲁迅来不及把复杂的现象幻化为文艺创作而直接记录在杂文上，所写的常是一目一鼻，一嘴一毛，一手一足，但这一肢一节，一线一点，合起来，就成了某一形象的全体。这某一形象正是旧的中国和中国人。鲁迅一生的文笔活动，确曾写出中国和中国人的具象了。

文学家写作，常取类型。所谓类型即标本。但作家取人为模特儿也有两法：一种是专用一个人；又一种是杂取种种人，合成一个。他的小说，从来是取后一法的。到处观察，在许多人中摘取要点，化成形象，即“静观默察，烂熟于心，然后凝神结思，一挥而就”。

专取类型来暴露黑暗，自然最容易引起反应。因为所取的既是特点，而又从许多人之中摘出，那么，小说上的谁某，就是生存着的人们的影子。虽然也顾虑到这一点，在写作时故意隐去了事情的出处，而人物的姓氏，也大抵取自《百家姓》里最普通的字眼，有的甚至于连名姓也没有了。这么写出来，自以为不会触犯任何人。但所写的事情，终不能隐去，到底也触犯了所有被写的人，都说在讽刺他们，写出了他们中的谁和小说中的谁相像。然而一切讽刺都是生活的真实，必须所讽刺的对象不在，讽刺才失了存在的根据。但有一点却又使人感觉悲哀的，即凡是鲁迅的杂文所批评的现象，在旧中国里，还好像说着现在，或甚至于将来。所以有的批评家说鲁迅只写了现在或以前的时期，而他却觉得他所写的不但并非过去，而正是现在，或竟是几十年之后。

和类型有关的还有眼睛的问题。眼睛最能代表一个人的特点，所以画家和文学家“要极省俭画出一个人”，最好是画这人的眼睛。这话很确当，因为世上很有些写不进小说去的人，一写进去而又神似，那作品就被损伤了。所以高明的画手，就寻出人物的特点来，例如眼睛之类。但鲁迅却又很谦虚的说自己虽然想学，但学不好，甚至后来连原有的步法也忘却了。而其实中国有了新文学，作家们学画中国和中国人的眼睛画得最神妙的就是鲁迅。

二　排斥异端

新陈代谢是生物进化的路。凡一切高等动物，通常都从幼到壮到老到死的过去。希望是在将来，所以老者应当顺应着自然的规律，欢天喜地的让开路，并且催促着、奖励着，使幼者走上前去。但中华古国的前辈先生，并没有催促着、奖励着，使一代胜于一代的雅量，反而使儿子学着老子，或者比老子还不如。儒者教孝说：“三年无改于父之道可谓孝矣。”其实岂止三年，儿子是终其生墨守着老子的规矩。所以中国永远在翻筋斗，对于新的或外来的事物，都指为异端、有害，所以要不得，也学不得。

阿Q也曾进过县城，但他对于城里的人并不怎样恭维。用木板做的三尺长三寸宽的凳子，未庄的人叫长凳，而城里叫条凳；未庄的人油煎大头鱼，用半寸长的葱叶，而城里却用切细的葱丝。自己这样而城里那样，这是异端，而异端是错的。并且城里的女人走路也扭得不很好，未庄不是这样。阿Q不仅关心城里的，还留心到未庄的异端。全未庄的人都不在他眼里，尤其憎恶钱太爷的大儿子——未庄的文童。他进过洋学堂，又到东洋留过学，半年之后回来，腿直了，辫子也不见了。没辫子而又装假辫子，阿Q想：新而又伪，可见“没有了做人的资格”，叫他做假洋鬼子，表示其鄙视的态度。

《风波》里的九斤太太是个不平家，一开口骂人照例是说一代不如一代。见了她的曾孙女儿在吃饭前吃点炒豆子，以为是"败家相"，"吃穷了一家子"，于是不平。她年青的时候天气没有现在这么热，豆子也没有现在这么硬，又不平。六斤生下来比她曾祖少了三斤，又不平。引伸开来什么也都不平。听了她的儿媳妇七斤嫂子解释六斤生下来用加重的私秤称，又骂七斤回家太迟，上灯前还不回来，又不平。听了皇帝坐了龙庭，而七斤没有辫子，僧不僧、道不道似的，更不平。总之，古时的什么都好，今日的什么都坏，一代不如一代。

还有鲁四老爷，见了人照例大骂一顿新党、康有为。老新党四铭上街买肥皂，受了一群学生的嘲笑，回家没处泄愤，借题发挥，大骂学生不尊老，大骂学堂胡闹，连女学生也剪了头发，搅乱了天下，使没有辫子的女子负着天下兴亡的责任。吉光屯的疯汉，闹着要吹熄了长明灯，村里的慷慨派，如丧考妣，说长明灯从先代点起没有熄过，熄了，全村就变了泥鳅，而给他关了起来。

这排异守旧，在其他的社会生活中也到处看得出来。例如要打仗，不用枪炮而提倡打拳，使达到枪炮打不进的程度，再演一次一千九百年的悲剧。例如国学家反对外国人姓名的译音，说，屠介纳夫、郭歌里、托尔斯泰之类的字样都看不懂。又例如你不是天才，不配去创作，你缠过足，不配谈天足运动。一手塞住改革者的口，取消他的发言权，结果使社会成一池死水，无动静、无改革、无发明、无创作。更可笑者是对于改革的报复，政府禁用阴历，不准在日历上注阴历，而好事者却准备了一百二十年的阴阳合历，想到曾孙玄孙时代也都适用的日历上去了。

这样的人民，只有两条路可走，或者缄口不言外国的或新的事物，或者说外国的新学说，什么进化论、价值说，都是“古已有之”。风水合于地理学，炼丹合于化学，灵乩合于科学，使人们永远守着祖宗的山坟，背着死鬼的灵魂从新的世界里被挤出来。

但人类总在进化，你不进，或进得慢，你就被挤出时代的圈子外，成了人之外的类猿人。人不是用猿来耍把戏吗？也许猿族中也有改革者要提倡站起来，但给同类的猿咬死了。所以它们至今还是猿，人叫它做类人猿，和类猿人隔着一座重壁，彼此的灵魂是不相通的。

假使现在有一个英国的斯惠夫德似的人，做

一部《格利佛游记》那样的讽刺的小说，说在二十世纪中，到了一个文明的国度，看见一群人在烧香拜龙，作法求雨，赏鉴“胖女”，禁杀乌龟；又一群人正正经经的研究古代舞法，主张男女分涂，以及女人的腿应该不许其露出。那么，远处，或是将来的人，恐怕大抵要以为这是作者贫嘴薄舌，随意捏造，以挖苦他所不满的人们的罢。

——《花边文学·奇怪（一）》

我想这事不必远求，和我们的国界相连接的新国土苏联里的今人，看了这讽刺画，也一定以为是文学家的奇想，或是做梦者的呓语，因为他们的眼界和这是完全隔膜了。类人猿和类猿人的灵魂不相通本无足怪，如果人与人的甚至于一国中的人们的灵魂也不相通，那是最大悲哀的事。

三　精神胜利

人往往爱胜而恶败。但历史却常愚弄人，使有些所向无敌不可一世的人往往一败涂地，身毙名裂。焚书坑儒的秦始皇想统一思想，使帝业传至万世，但结果二世而亡了。拿破仑自称盖世英雄，且自作豪语，说自己比阿尔卑山还高，而后来竟作了阶下囚，抑郁而死。但世上也并非没有真正的胜利者，即秦始皇拿破仑之流，也曾有过暂时的胜利。也有这样的胜利者，敌手如虎如鹰，自然可显出自己的威风，但如果如犬如羊，没有丝毫的抵抗，反觉得“胜利的无聊”。又如果自己降服了一切，世上从此再没有对手，只剩自己一个，孤单、寂寞，又感到“胜利的悲哀”了。但阿Q却是例外的一个。他永远胜利，永远得意，他的字典里并没有失败的字眼，虽然在别人看来是滑稽的事，是阿Q的胜利，这又是“中国精神文明冠于全球的一个证据”了。

阿Q一生的行状，全是胜利、得意的记录，他和别人口角，（总是阿Q争不赢）常托出他的祖宗来：“我们先前——比你阔的多啦！你算是什么东西！”先人阔，阿Q也阔。未庄不是有两位文童吗？文童者候补秀才也，而秀才者阔也。所以他们的爹爹赵太爷、钱太爷也沾了儿子的光，这是青年对于老子的用处。但阿Q对赵钱二老却并不表示敬意。他想“不孝有三,无后为大”,男人应该有一个女人才好;又想到自己有了女人,养了孩子,“我的儿子会阔得多啦!”,他又预感到未来胜利的光荣了。阿Q本来是一个十全十美的男人,可惜头皮上长了几个癞疮疤,而未庄的人们又不大知趣,常用这残缺来取笑他。但阿Q似乎很佩服“人非圣贤,孰能无过”的古训,心里想,你们是全人吗?呸!于是来一个报复:“你还不配……”也有缺点的人如王胡、小D、假洋鬼子等也敢来开人的玩笑,可见他们不量德、不量力,错自然属于他们这一面,而他头上的癞头疮反成为非凡的东西了。然而撩他的人还是不停,终于打起来,而每次总是阿Q打败了,被人揪住黄辫子,在壁上碰了几个响头。还有一次,赵家的文童进了秀才,阿Q喝了几斤黄酒,一时糊涂起来,忘了形,向众人说自己是太爷的本家,失了言,又吃了几个耳光。先后吃亏,本来有些难为情了。但阿Q依然有他的精神上的胜利法,心里想:“现在的世界太不成话,儿子打老子……”于是打阿Q的人,连赵太爷、假洋鬼子也在内,都是他的儿子,他又得胜利了。后来村人全知道他这种精神胜利法，每次揪住他黄辫子时一定要他说过人打畜生才罢手。但阿Q很驯服，并且降低一级，连畜生也不敢当，直认是虫豸，又被碰了几个响头。然而阿Q并不以为倒楣，他依然得胜了，因为世界上最难得的是自谦的人，《圣经》上不是说过谦虚的人有福了吗？阿Q没有出过洋，又不认得字，也许不知道这经义。但中国圣贤也教人知足，也许赵太爷之流，在未庄做过义务的传教者。阿Q想，自己能够自轻自贱，仿佛也很合乎古训似的。并且还是自轻自贱党中的第一人，不为尧舜，常为盗跖，也是无双谱里的英雄，阿Q又得胜了。

然而阿Q的克敌制胜的奇策更有出人意表之外者。有一回，他混入了赌摊押牌宝，赢了一大堆洋钱，但不知怎的，赌场忽而打起架来，秩序大乱，使阿Q昏头昏脑。清醒过来，赌摊、赌徒、大洋，什么也不见了，他这回才有些感着失败的痛苦了。古诗云："山穷水尽疑无路，柳暗花明又一村。"这又一村是什么呢？阿Q举起自己的手，使劲的在自己脸上打，打了几下，心里想仿佛打的是自己，而被打的是别一个人。他又心安理得的睡着了。又有一回，阿Q竟被王胡揪住辫子照例在墙上去碰头，还吃了假洋鬼子的哭丧棒的亏，以为这是生平最大的屈辱。正在叹着晦气的时候，迎面来了一个小尼姑。阿Q又发见了取胜的秘诀了。他迎面跑上去，伸出手去摩新剃的头皮，并且扭住她的面颊，很得意的说："和尚动得，我动不得！"他又得胜了。

未庄的赵家遭了抢，连累了阿Q被抓进县里去。当然阿Q的愚昧，不知被抓的所以然；被审问过几次，还要画圆圈，更不明其所以，圆圈又画得不圆，成了瓜子形。但他倒并不怎样烦恼，以为人生于天地之间，大约本来有时也抓进抓出，圈画不圆，也不算低能，"孙子才画得很圆的圈呢"！他又坦然了。到了被送到法场，还叫着"过了二十年又是一个……"杀了今代的阿Q，还有子孙后代的阿Q，"野草烧不尽，春风吹又生"。阿Q杀不完，他要和中国精神文明永存于这天地之间。

这种精神胜利法，推广起来，大凡自高自大，自满自足的人，都属于这一类。例如"中国地大物博，开化最早，道德天下第一；外国物质文明虽高，中国精神文明更好；外国的东西，中国都已有过，某种科学，即某子所说的云云"。这三种论法虽然是所谓戏台里的喝采，自称自赞，但还敢于说出自己的好处。至于第四种论法，“外国也有叫化子，——（或云）也有草舍，——娼妓，——臭虫”，可就大不相同了，不但没有自尊心和自信心，连自己的缺点也要掩盖起来。其实岂止叫化子、娼妓之类外国也有，甚至于外国也有不抵抗者、吸鸦片者、赌徒、匪徒、犯罪者、反动者、贪官、污吏，凡中国有的，外国也有。“即使连中国都不见了，也何必大惊小怪呢，君不闻迦勒底与马基顿乎？——外国也有的！”这种精神文明，简直是亡国灭种的祸根，中国没有了，也满不在乎。

第五种论法最神妙：“中国便是野蛮的好，……你说中国思想昏乱，那正是我民族所造成的事业的结晶。从祖先昏乱起，直要昏乱到子孙；……（我们是四万万人，）你能把我们灭绝么？”这种人比阿Q还高明一等，连头上的癞疮也不讳，当作可夸耀的象征。甚至于脸上长了一个瘤，也毫不介意，美其名曰国粹，用自己所造的墙和世界永远隔绝，渐渐的走到灭绝的路上去。

最直截了当的是这一类人们。成吉思汗明明是蒙古人，成吉思汗的儿子求赤征俄，在莫斯科即皇位后，即继续鼓着勇气进逼欧洲内地，明明是蒙古人征俄征欧的壮举，但史家却说这是“吾国战史上最光彩最有荣誉之一页”。有奶就是娘。硬霸蒙古人为自己的祖先，去夸耀同被践踏的俄国人，还自以为得计。

其实这史家的论法只是老祖师的史论的演义而已。满洲人是吴三桂引他们入关的。自然没有人来引，他们也要来，但既然引自关外，自然是蛮子兵无疑了。但清朝的帮闲文人反来歌颂功德，开口闭口都说是我军或大军，使人读了以为真有过汉人带了兵剿灭了什么腐败的民族的史事似的。还有，要降服蛮子，就选美女去和亲，或男人去当番邦的驸马。还有，乾隆皇帝是陈阁老的儿子，日本人是徐福的子孙，妄造一节生殖器革命的故事，就使番人，满洲人，日本人都变了轩辕氏的遗裔，好不威风！

心造的胜利可算真胜利，失败也可算胜利，自然人家的胜利也可以硬霸来当作自己的胜利了。呜呼，某种中国人的胜利！

四　无特操者

伪善、装腔，口是心非，言行乖离，也是某种中国人的精神文明的一面。其实这风尚由来已久，至少在春秋战国时就颇流行于某种人的社会了。自称圣贤的儒者，就是这类表里两样的人物的祖师。子夏的学生公孙高访问墨子，在他们二人的对话中颇能看出这种人的本相：

> 公孙高："先生是主张非战的？"
>
> 墨子："不错！"
>
> 公孙高："那么，君子就不斗么？"
>
> 墨子："是的！"
>
> 公孙高："猪、狗尚且要斗，何况人……"
>
> 墨子："唉唉，你们儒者，说话称着尧、舜，做事却要学猪、狗，可怜，可怜！"

嘴里说着尧舜，其实学着猪狗，真是世上的可怜虫，所以墨子说这些言行不一致的人不懂他的意思。

还有孟子的远庖厨说，也是骗人的。君子们岂独不亲到厨房去，并且远远的离开了。他以为慈祥，不忍见牛临死的觳状，于是远远的走开，这是恻隐的心。但君子们要吃牛肉，等到牛被杀了，牛肉烧成牛排，然后慢慢的来咀嚼。吃牛排决不会有窘状了，也就和恻隐的心无冲突。装着慈祥，而又吃牛排，其实是自欺欺人的办法。

阿 Q 及其僚属，也习染了这种流风余韵，阿 Q 头上的癞疮疤是颇使他气恼的。《三国演义》上周瑜临死时还大叫既生瑜何生亮。阿 Q 目不识丁，也许不知道有周瑜孔明之流、五关斩六将、桃园三结义的故事。不过阿 Q 有时也会有意无意地叹息着，既有 Q，何生疤，视为不祥的缺点，于是癞字以至近于癞的音意如光、亮、灯、烛、火、烧等等都讳，比正人君子们讳说下体或和下体有渊源的事物，还谨慎些。

其实这作风在中国精神文明史上，阿 Q 并不占什么显赫的地位，高老夫子、道统先生之流，比阿 Q 更高明。高老夫子并非怎样冠冕堂皇的人，是个赌徒、戏迷、酒徒、色鬼。为了看女学生才去当女学堂的教员。又留长了头发，要遮住左眉上那难以消灭的瘢疤，一听到人家说女学堂的坏话，就大不以为然。但上了第一课，在课堂上，只听见嘻嘻嘻！女弟子们并没有任何神往于高老夫子的表示，于是又恼羞成怒，以为学堂真闹坏风气，要不得，正经人犯不着同流合污了。

还有何道统，自称圣贤之徒，孟母崇拜者，自然是十足的卫道夫子了。但他的卫道只在口头上或笔头上，其实是个女性的侮辱者。本来君子之徒不作兴谈女人，但他们总喜欢说到女人，于是女讨饭也成了谈论的资料。由于四铭叙述一个女讨饭怎样被无赖打趣的事，其中一个无赖对他的同道说：你去买两块肥皂来咯支咯支地遍身洗她一下，好得很呢！说得道统先生即时现出了假道学的原形。

"哈哈哈！两块肥皂！"道统的响亮的笑声突然发作了，震得人耳朵喤喤的叫，"你买，哈哈，哈哈！"

"道翁，道翁，你不要这么嚷。"四铭吃了一惊，慌张的说。

"咯支咯支，哈哈！"

"道翁！"……

"呵呵，洗一洗，咯支……唏唏……"

阿Q的忌讳、文饰，只不过要遮住自己的缺点，闹了笑话，也还是自作自受，而高老夫子何道统之流，却立意要愚玩别人，要使弱者来做牺牲品。

这种精神演绎起来，曾在江浙一带随便杀人的孙传芳，复兴了“投壶之礼”，曾在山东，目不识丁连自己也数不清有多少金钱兵丁和太太的张宗昌，也提倡读经尊孔，重刻《十三经》，选孔门后裔做自己的女婿。中国的假堂吉诃德们，用国货年的金字招牌来发财，用固有文化来治小百姓的心，用武器不精的题目来作诱敌深入的解释。更普通的是上海流氓的行径，见了一男一女的乡下人在路上走，他说有伤风化，所用的是中国法；见了乡下人在路傍小便，他又说犯了法，所用的是外国法。不论什么人物，上自为政者，下至小瘪三，所用的手法各有不同，而结果是骗取了对手的东西。可是还有人大张其辞说：这是维持秩序。

无特操是某种中国人为人的特色，他们说这样其实是那样，说做其实不做，说不做其实做了，使你什么也信不得。总之“言行不符，名实不副，前后矛盾，撒谎造谣，蝇营狗苟”。——这种人是“做戏的虚无党”或“体面的虚无党”。所以他们是永远高深莫测的，俨乎其然的。“人往往憎和尚，憎尼姑，憎回教徒，憎耶教徒，而不憎道士。懂得此理者，懂得中国大半。”为什么？因为道士正是无特操者的模特儿。

五 上谄下骄

中国精神文明的又一面是上谄下骄，这一种相用现代语说是奴才相或西崽相。一个人出现两种面孔：主子或奴才。做主子的时候官威十足，不可一世，做奴才的时候，卑躬屈节，含垢忍辱。中国有句话：“各人自扫门前雪，莫管他家瓦上霜。”这是旧社会压迫者对于被压迫者的训条，教人守己奉公。但两极端是相通的，信奉这教条的人，一旦得势，他的言行会完全两样，变为“各人不扫门前雪，却管他家瓦上霜”了。守己奉公的时候有点谄相，横行无忌的时候又有点骄相，“骄和谄相纠结的，是没落的古国人民的精神的特色”。

守着这遗训的古人并不少。孙皓治吴和降晋，宋徽宗在位和被掳，前后判若两人，一是骄横无道的暴君，一是卑鄙无耻的奴才。自己做了主子就把一切人当作奴才的人，一旦有了主子，自己也是以奴才自居，死心塌地为主子效劳去了。其实岂独孙赵二人如此，翻开中国古书一查，真不知有多少人们过着如此矛盾的生活。譬如小说里的侠客，是一个明证。他们所反抗的是奸臣，不是天子，所打劫的是平民，不是将相。到后来还受着圣主的宣抚，去替天行道。《施公案》、《彭公案》里的所谓侠客也者，那一个不是为某一好官员做保驾的打手与抬驾的轿夫。于是他们——侠客——一面为天子效劳，一面向平民逞威风，发挥着他们做奴才的品格了。

阿 Q 及其邻人也显出这可怜相来。阿 Q 因调戏赵家的吴妈被赵太爷赶出赵府之后，他觉得这世上有些古怪了，酒店不肯赊账，管土谷祠的老头子示意要他走，未庄的女人们一见他来又一个个乱钻乱跑。但最古怪的还是没有人来叫他去帮工。他在未庄是不能活下去了，只有进城自寻生计。到了那年的中秋，阿 Q 又回来了，并且出现于酒店的门前，穿着新夹袄，腰间还挂着一个大搭连。未庄的人有一句格言——“看见略有些醒目的人物，是与其慢也宁敬的”，所以堂倌、掌柜、酒客、路人，对阿 Q 都显出一种新的敬意来。甚至于赵司晨、王胡之流也来倾听阿Q的中兴史。阿Q的大名还传遍了未庄的闺中，邹七嫂、赵太太、赵少奶奶，连太爷、秀才，也闻而起敬，但打听的结果，阿Q原是一个偷儿，并且是一个不敢再偷的偷儿而已，于是村人又突然变了态度，不独“敬而远之”，并且认为是“斯亦不足畏也矣”了。

赵太爷的两副脸孔，也煞是可看。第一副脸是出现于阿Q自称是赵太爷的本家，地保叫他到赵府去的时候，太爷一见阿Q，大发雷霆：

“阿Q，你这浑小子！你说我是你的本家么？”

阿Q不开口。

赵太爷愈觉生气了，抢进几步说：“你敢胡说！我怎么会有你这样的本家？你姓赵么？”

阿Q不开口，想往后退了；赵太爷跳过去，给了他一个嘴巴。

“你怎么会姓赵！——你那里配姓赵！”

阿Q并没有抗辩他确凿姓赵，只用手摸着

左颊，和地保退出去了。

——《阿Q正传·序》(第一章)

赵家有赵太爷其人，阿Q竟敢自认姓赵，过错自然落在阿Q这一面了。但人们也可以看见这是如何威风凛凛的姿态。然而这一回又显出新的花样来了。阿Q也喝了几碗酒，忽而觉得自己是革命党了。于是在未庄奔跑，嘴里唱着戏文，似乎发了狂。村人用了惊惧的眼光望着他，赵太爷也用了惊惧的眼光望着他。

"得得，……"

"老Q，"赵太爷怯怯的迎着低声的叫。

"锵锵，"阿Q料不到他的名字会和"老"字联结起来，以为是一句别的话，与己无干，只是唱。"得，锵，锵令锵，锵！"

"老Q。"

"悔不该……"

"阿Q！"秀才只得直呼其名了。

阿Q这才站住，歪着头问道，"什么？"

“老 Q，……现在……”赵太爷却又没有什么话，“现在……发财么？”

“发财？自然。要什么就是什么……”

“阿……Q 哥，像我们这样穷朋友是不要紧的……”赵白眼惴惴的说，似乎想探革命党的口风。

“穷朋友？你总比我有钱。”阿 Q 说着自去了。

大家都怃然，没有话，赵太爷父子回家，晚上商量到点灯。赵白眼回家，便从腰间扯下搭连来，交给他女人藏在箱底里。

——《阿 Q 正传·革命》（第七章）

“怯怯的迎着”，“惴惴的说”，这样的字眼描写得特别有趣，把赵太爷前后两副不同的面孔都刻画出来。其实当阿 Q 被王胡扭住了辫子在墙上碰了几下，还被假洋鬼子打了几棍，认为是生平最大的屈辱的时候，又来戏弄静修庵的小尼姑，吃了强者的亏，又从弱者身上去发泄，也是这种相的再现。

“暴君治下的臣民，大抵比暴君更暴。”所以这些小人的脸，也特别可怕可憎。对小百姓不妨横暴狂妄，但一见上峰，却又温良驯服。他是羊，又是兽。遇见比羊不如的，就现出兽相，但遇见比兽更凶的，又现出羊样。总之，有点骄又有点谄，这正是这样的人的特色。

其实要看这奴才相，最好到洋场上去。上海曾是中国洋场的翘楚，所以这里“倚徙华洋之间，往来主奴之界”的西崽就带有这种相。上海有租界和华界，有洋人和华人，西崽的职业是当翻译包探或巡捕。主子是洋人，但洋人之外还有比他们更卑下的华人或是奴隶。西崽们就是在这主人和奴隶，华人和洋人之间住着的一群中国人。因而又显出一种可厌的相来。“这相，是觉得洋人势力，高于群华人，自己懂洋话，近洋人，所以也高于群华人；但自己又系出黄帝，有古文明，深通华情，胜洋鬼子，所以也胜于势力高于华人的洋人，因此也更胜于还在洋人之下的群华人。”（《且介亭杂文二集·“题未定”草·二》）事大而又自大，把两种脸都萃于一人一身了，这就是奴才相。

六　示众者、旁观者、机会主义者

一部《二十四史》记着中国独夫们的家谱，但家谱也常有变易。秦始皇如何威风凛凛，但陈涉吴广揭竿而起，嬴姓的家谱不二世而亡了。秦之后，每朝的末世，总有一次农民起义，李家刘家的天下塌了，别的野心家出来收拾残局，而举义的农民，又在新的奴隶规条下循规蹈矩的过着老的生活。中国史书就写着这么一节循环的史实。

然而，农民的反抗是在逃死、在救死，旱荒、水灾、虫灾、疠疫、兵燹……来了，人们活不成，然后来这一手的。本来阿 Q 对于革命也并不怎样热心，他在城里亲眼见过杀革命党，以为“好看好看”。然而革命究竟来了，革命又可使举人老爷惧怕，未庄的“一群鸟男女”又闻革命而手忙脚乱。这些阿 Q 认为是他的对头的，仇人的所恶，正是自己的所好。况且阿 Q 的用度窘，更有点不平，于是对革命也有些神往了。心里想：

革命也好罢……革这伙妈妈的命，太可

恶！太可恨！……便是我，也要投降革命党了。

——《阿Q正传·革命》（第七章）

这是阿Q革命的宣言。中国下等人攻击高门大族曰：他妈的！这是被压抑的反抗。阿Q用来对抗自己的敌党的是“革这伙妈妈的命”，口诛再加上力伐。阿Q幻想着：革了命，元宝、洋钱、洋纱衫、女人，都有。但革这一伙，自己也要有一伙，阿Q的一伙是谁呢？并不是王胡，不是小D，不是小尼姑，而是假洋鬼子。他要求在说投降盘辫子之外，还要和革命一伙。但洋先生的回答是叫他“滚出去！”，不准他革命。并且造反不成反而被抓进牢里去。

窗友问他为了什么事，他说：“因为我想造反。”审问官要他招供罪状，他说：“我本要……来投……”问他为什么又不来，他答道：“假洋鬼子不准我。”又问打劫赵家的一伙人跑到那里去，答道：“他们没有来叫我。他们自己搬走了。”问他们搬到那里去，答道：“我不知道。”又问他还有什么话，说：“没有。”画了一个圆圈，又问他还有什么话，依然说：“没有。”

于是阿Q被判了死刑，还要游街示众。在人群里，他咆哮过“好！”又大叫过“救命，……”。

示众之后还有余波，就是人们对于刑法的品评。

> 至于舆论，在未庄是无异议，自然都说阿Q坏，被枪毙便是他的坏的证据；不坏又何至于被枪毙呢？而城里的舆论却不佳，他们多半不满足，以为枪毙并无杀头这般好看；而且那是怎样的一个可笑的死囚啊，游了那么久的街，竟没有唱一句戏，他们白跟一趟了。
>
> ——《阿Q正传·大团圆》(第九章)

车子上躺着一个死囚，昏头昏脑似的不知道是什么一回事，一丛蚂蚁似的人群，在车子后面跟着跑，挤拥着、呼号着，并且每个人的脸上都毫无表情。这是一幅如何朴素而又有力的示众图呢？中国农民们的逃死、救死，就得着这么一场结局。他们确实在逃死、在救死，运命逼着他们这样做，但死逃不了，救不成，终于喊着：

"救命，……"

但周围人山人海的同类或异类，却在死囚的面前喝采。民国之前鲁迅在日本看过一回，刽子手是日本军人，上断头台的是中国人，围着看而毫无表情如醉如梦在喝采的也是中国人。民国十七年四月六日又再演一回。这一回的囚徒不是一个造反不成的农民或俄国侦探，而是一群革命党，法场不在某县城，不在满洲，而在长沙。当几具头颅挂在广场的时候，许多市民也依然挤着嚷着去看，并且脸上现出向往的或满足的神情。

> 我们中国现在（现在！不是超时代的）的民众，其实还不很管什么党，只要看"头"和"女尸"。只要有，无论谁的都有人看，拳匪之乱，清末党狱，民二，去年和今年，在这短短的二十年中，我已经目睹或耳闻好几次了。
>
> ——《三闲集·铲共大观》

然而革了命的反是咸与维新的官绅先生。秀才和钱洋鬼子先革掉了静修庵里皇帝万岁万万岁的龙牌，辫子又盘在头顶上，并且襟上还挂着一个柿油（自由）党的党徽。把总做了革命党，对匪徒大逞威风。举人老爷也做了官。赵司晨、赵白眼之流，也跃跃欲试。这是咸与维新的大团圆。十六年以后，时势变了，但革命场中的阔人还不变其阔，主义变了，而骁将还不失其骁的机会主义者，又经历过一回大团圆。

七　唯无是非观

无治主义在中国原有深邃的渊源的。老子《道德经》五千言是无为的典据。然而又下注释，说无为而无不为。什么都不做，即等于什么也都做。但无不为只是心造的幻想，其实是无为。这些狂妄的人，结果也只好出关去了。这是中国无治论的开山祖师的收场。庄子的思想比老子更激烈，他相信无生无死，亦生亦死，人是蝴蝶，蝴蝶是人，所以对司命者的死生有命说，也持异论：

大神错矣。其实那里有什么死生。我庄周

曾经做梦变了蝴蝶，是一只飘飘荡荡的蝴蝶，醒来成了庄周，是一个忙忙碌碌的庄周。究竟是庄周做梦变了蝴蝶呢，还是蝴蝶做梦变了庄周呢？可是到现在还没有弄明白。这样看来，又安知道这髑髅不是现在正活着，所谓活了转来之后倒是死掉了呢？请大神随随便便，通融一点罢。做人要圆滑，做神也不必迂腐的。

——《故事新编·起死》

这虽然是“只取一点因由，随意点染”的文字，但并没有把古人写得“更死”，倒说出了老庄哲学的原义：随便、通融、圆滑、旷达、无是非、无善恶。这人生观竟不幸流传了二三千年，所以三教一体说，《论语》和《孝经》、《老子》、《维摩诘经同义论》，都是中国的士大夫的得意的春秋笔法。这圆通哲学还写在小说上（如《西游记》、《封神传》、《西游补》等），传播于民间，成为万民的人生哲学。而流风余韵，传至现代，于是有吕纬甫这样的类型，原先是敏捷精悍的青年改革者，曾因破除迷信而到城隍庙里去拔过偶像的胡须，又因辩论革新中国的方法而打起架来。但十年之后，又变了一个无聊的人，敷敷衍衍、模模糊糊的人。为了骗骗母亲使她安心，包一点泥土，装在新棺材里，算是安葬了自己的小兄弟。为了不使阿顺失望，虽然荞麦粉不可口，也放大喉咙咽下去，甘愿受硬吃的痛苦。阿顺死了，母亲托送她的剪绒花，就送了阿昭，还要对母亲说阿顺见了喜欢的了不得。为了每月二十元的收入，也随随便便去教子曰诗云。自然这样的人不知有现在，更不想有将来，也只有悲观、消极、绝望而已。

也有孤独者、失败者魏连殳这样的类型。这是一个古怪的人，可怕的新党，使周围的人当他为异类。自然村人眼中的化外人，异样的人，并不是一个恶名，但必须懂得韧性的战斗，然而魏连殳终于被逐出于教育界之外，社会不给他安住下去。失业不久，连心爱的藏书也变卖了；为了活几天，连一月二三十块钱的抄写也肯去就，但连这小职位也不可得，他活不下去了。然而还是活下去，“为不愿意我活下去的人们而活下去”，于是馈赠、颂扬、钻营、磕头、打拱、打牌、猜拳、失眠、吐血，他终于死了。

还有所谓文学遗少群。明明是青年人，也写篆字、填词，劝人读《庄子》和《文选》，刻古式信封，写方块新诗，使新的躯壳里埋着桐城谬种，选学妖孽的魂灵。对于人生，麻木冷淡，随遇而安，对于世事，无爱无憎，不冷不热。对人对事既然大可随便，于是耶稣教徒其实是吃教者，有的所谓革命党其实是吃革命饭者，批评家其实是上天梯者。有的还是一时讲革命，一时讲忠孝，一时拉住大拉嘛，一时造塔藏主义。

无是非者，仿佛是超于是非，不党、不私，学者似的，其实这种人是最无定见，最不可捉摸。批评或辩论的时候，用各种不同的圈子，用互助说来驳诘生存说，又用生存说来驳诘互助说；用和平论来反对阶级斗争说，又用斗争说来反对和平论；用唯物论来非难唯心论，又用唯心论来非难唯物论。或者彻底到透底，人们要打倒偶像，他连打倒者也打倒，人家说诗云子曰是旧八股，他又说“达尔文说蒲列汉诺夫曰”是新八股，人家要反对某种卫道文学，他竟什么道也不要卫，以为都要不得。总之，凡事都要无疵无瑕，一有缺失，不完全，就不行。人什么都不对，他什么也都对，“自己满足”，“现状最好”，于是做人也最好不言不动，不求有功，但愿无过，保得现状，天下太平。所以立论的透底者其实是现状的屈伏者，外貌的革命者其实是无力的倒退者。

没有将来，改革无力，但求维持现状，或想把现在拉回太古的时代去，这就是唯无是非者的最高理想。

八　民族精神的改造

“我的作品，太黑暗了，因为我常觉得惟黑暗与虚无乃是实有。”实有是黑暗和虚无，所以反照现实的艺术品也是黑暗和虚无。读过鲁迅这句话，又想起恩格斯给英国女作家哈克纳斯的信上所写的关于现实主义的观点。“我决不责备你，怪你没有写一部纯粹社会主义的小说，像我们德国人所说的有倾向的小说，就是一定在小说里面宣布作者的社会思想和政治思想。”鲁迅小说里的主题是暴露现实，他的杂文，也同样是批判性的社会论文。但是特别值得注意的是，他在《坟》里面一篇《论睁了眼看》的论文上，曾力说过文艺家和批评家必须有正视社会的勇气和毅力，必须敢于视，才敢于想、敢于说、敢于做、敢于当。所以睁了眼去看取各方面的人生，仅只是第一个步骤，这第一个步骤之后，继续而来的，是革命的实践，自然，最根本的问题的实践，即推翻旧的社会以及附着于这里面的压迫阶级之后，再建设新的社会。然而政治革命必须与思想革命，相辅而行，而且实际上政治革命之前，就有思想革命作为先导，这是各国历史的通例。鲁迅所努力的是思想革命的路。他以小说家评论家的身份出现，他揭露社会上病态的人们，批评时弊和社会病根，他又翻译外国叫喊和反抗的作品，介绍外国评论家的著述和思想，这一贯的事业是利用文艺的力量来改造人民的思想，培养健康的民族精神。

然而由于新思想的传播和革命大风暴的激荡，在中国已经出现了只要有益于社会人群的事，自己就担当起来的这样的革命者；也有但愿自己作一块木材或一撮泥土，在默默中劳作，又在默默中死亡的人们。还有，为着应援外交交涉问题向政府请愿而饮弹受刃的，为着助成革命的信念而被枭首示众的，为着督促政府抗日而竟被推落水淹死了的，为着实践前驱的使命而被秘密处以死刑的。甚至于十三岁小女孩，在风沙泥泞中募集灾款，募不到，很失望，募到手，很高兴，而且称赞被募者为好人。死于北京国务院前的三女子更为中国女性洗涤了几千年来的屈辱史。一个是和蔼而坚决的，两个是沈勇而友爱的，但和蔼、友爱、坚决、勇敢，这正是新中国女性最好的品德。这些都是鲁迅所及见的事。这是崇高的民族精神，也是新兴工人阶级的前进思想。有了这种思想感情和人物，又引导着革命向前发展。

然而竟有人敢于在革命者的头颅上，喷了狗血，想用污秽来障住人们的眼睛。更可怕的是中国人常用血来洗涤屠杀者的手，使他们又成为洁净的人物。于是有不少献身于国事的人，不但做了反动者的祭旗的牺牲品，并且负着冤沉莫白的罪名。

鲁迅所处的时代，还是昏暗的时代，然而黑夜的尽头也是白昼的起点。“这事实不必待至三年，也不必待至五十年。”这话是写于民国二十二年，之后，这预言果然为事实所证明了。新中国在创造之中，革命的民族精神也在生长之中。

第三章　人生思想

一　全体论

鲁迅的作品里面，有不少关于人生问题的评论，把这些评论概括起来，也可以看见他的人生哲理的特色。全体论是他的人评也同时是文评的一个重要见解。他用了工作和休息的关系来说明全体论的意义。人们一面工作，一面也休息。一个人的成功是靠着他的工作，但有工作，也必有休息，如果工作一年到头都没有休息，结果只有静静的死掉。诚然，一是花果，一是枝叶。工作是花果而休息是枝叶。然而有花果也必有枝叶然后构成树木的全体。可是一般人却往往忽视这一点，所注意的，大抵是精华，不是末屑，于是取其大，而舍其小，见林而不见木。这看法只见一个人的生活中的一部分或其特出的一部分，加以铺张，用部分来概括全体。其实这样来知人论世，自然不能知人，也不能论世。例如战士，一定这人勇于战斗，有勇往直前、肉搏强敌的决心才是。然而他一面战斗，一面也休息，也饮食，也……因为战士毕竟是一个人，既是人，就须休息、饮食、男女等，有了这些部分，才构成了这战士的全体。不休息，不饮食，只顾着打仗，不上几天，不但仗打不下去，而且连性命也没有了。然而休息、饮食是战士的根本条件吗？也并不。这只是日常生活的一部分，但如果只见这一节，说这人是游懒者或寄生虫，行不行呢？那当然也不能说全无根据，然而岂不冤枉！因为是日常生活，他乏了，不能打下去了，就要休息、睡觉，渴了、饿了，就要饮食、男女。而且当休息、饮食、男女的时候，也一定和常人一样，不然，那时对打仗也念念不忘，一定睡不着，咽不下去，或者如同嚼蜡。必须平平常常的休息、吃喝，才能够振奋精神，战斗起来，就和身疲力竭，喉干腹空时候，完全不同。“其实，战士的日常生活，是并不全部可歌可泣的，然而又无不和可歌可泣之部分相关联，这才是实际上的战士。”这就是全体论。不以偏障其全，也不只见其大而忘其小，先抓住某人的特点，以这为最中心的主题，再观察一切和这有关的部分。饮食、男女，虽然是生活的常事或琐事，但一取消，人也活不下去了。他由此得出的结论是：“删夷枝叶的人，决定得不到花果。”

全体论是鲁迅知人论世的根本观点。他的这种看法，是在评价一个人在社会上的意义，不仅要评论他一时的功罪，更要顾及他生平的一切事迹，不但要考察他有无战斗的意志，更要估量他所用的战法是否正确。前一点特别着重求实的精神，后一点则特别注意韧性的战术。

为什么人生必须合于求实的精神呢？鲁迅认为真实是为人的模范，批评的基准。她是做卖笑生涯的，叫她作娼妇。她是大家闺秀，称她是良家。娼妇与良家字眼上虽然有好有坏，然而都是事实。真实的反面是乱骂或乱捧。把泰戈尔当作活神仙，把袁中郎当作性灵的作手，这是乱捧。把革命马前卒邹容当作落伍者，把真正的革命者当作匪徒，这是乱骂。既尊孔而又拜佛，憎方巾气，但又赞《野叟曝言》，做着军人，又不肯为国捐躯，这些人都不认真，无自信，结果也使人不相信。其实这种骗人欺己的事是徒然的。古时的事，有蜀的韦庄显达之后，就想消灭他穷寒时候所作的《秦妇吟》，当时消灭了没有，我们无从知道，但清末又从敦煌的山洞里发掘出来。近时的事，有李大钊的被杀，他的罪状，被反动将军们所编排的罪状，是危害民国。然而这事之后，证明了断送民国的并非李大钊，却是杀戮了他的将军。这是鲁迅所目睹的事。北京学生运动，又被认为妨害治安，刺杀黄郛的刘庚生，被指为卖国者。然而妨害了北京的治安的是日军呢，还是人民？卖国者究竟是刺杀者，还是被刺杀者？后来也都有了真凭实据。这是鲁迅所预见、我们所目睹的事实。

为什么革命者必须坚持韧性的战法呢？鲁迅说："旧社会的根柢原是非常坚固的，新运动非有更大的力不能动摇它什么，并且旧社会还有它使新势力妥协的办法，但它自己是决不妥协的。"既然旧社会不仅有它非常坚固的实力，而且有它不妥协的顽强性，那么革命者要唤醒人民的觉悟，要抵抗旧势力的同化力，要防备无代价的牺牲，则必须持久抗战。他所称的韧战、壕堑战或假名战都是一个名异实同的战术，即所谓打硬仗或稳扎稳打。他谆谆告诫我们以子路和许褚为戒。子路不懂这战术，信了孔子的“君子死冠不免”的话，于是结冠而死，还被砍成了肉酱。许褚不懂这战法，赤膊上阵，中了箭，还受了金圣叹的冷笑：“谁叫你赤膊的？”但有人说：你躲在战壕里，或用假名出阵，岂不是表明你太胆小，太不负责任的吗？这是激将法，激你上阵，而且天下不负责任的胆小的人，实在太多了。

> 高等人向来就善于躲在厚厚的东西后面来杀人的。古时候有厚厚的城墙，为的要防备盗匪和流寇。现在就有钢马甲、铁甲车、坦克车。就是保障“民国”和私产的法律，也总是厚厚的一大本。甚至于自天子以至卿大夫的棺材，也比庶民的要厚些。至于脸皮的厚，也是合于古礼的。
>
> ——《伪自由书·不负责任的坦克车》

违反了这战法的人，即使在清末、在“五四”、在北伐的时候，他的笔舌都尽过颇大的功劳，然而一旦以别的角色出场，做了宫女们的药渣之后，甚于连叭儿们也要加以轻贱了。吴稚晖是一个好例。也有这样的人，一时激进，形似彻底的革命英雄，但其实是颓废的有害于革命的个人主义者。贪革命的名声，但又不肯忍受革命者所难免的苦难的人，不论怎么装腔作势，其结果一定要露出了自己的原形。总之，一个人的本相，终竟是隐藏不了的。

二　评世故

世故原是旧社会里面明哲保身的人处世的秘诀，真实和韧战既是鲁迅的人生论的核心，对于世故无疑也要加以严正的批判。当然使人们锻炼成一个世故的人，自有其社会的根源。鲁迅在《野草》的一篇散文里提到人间地狱的事，这是一篇寓言式的散文。人们常说人间地狱，这意思说人间就是地狱，或是地狱的变形。宇宙据说有三界，天上、人间、地狱。当初，魔鬼们统率着三界，但在地狱里，鬼魂们发出反抗魔鬼的叫声了。人类也应声而起，打抱不平，战胜了魔鬼，却又亲临地狱。人类于是掌握了地狱的威权，先收买了牛首阿旁，而且添薪火，磨刀剑，整顿废弛，使地狱改观，于是鬼魂们的不幸，更在魔鬼的秩序以上。

人间也是如此。少数人掌握着权柄，挑选了同类中的狡黠者，做了直接的屠夫。油沸了、刀铦了、火热了，有反狱的猛士吗？他们那时又成了叛徒。所以被压迫的大众，在这里，只得忍受着永劫的沉沦，不敢轻举妄动，为非作歹。

这样的黑暗社会，一定会使有些人锻炼成一种超然的处世法。他们不愿意说谎话，又不敢说出事情的必然。因为说谎话有昧于良心，说必然又恐怕遇着打击，于是只有说了一通依然是一无所有。例如吃满月孩子的喜酒罢，不说这孩子将来要做官发财的，因为这不一定是事实，也不说他将来要死的，因为主人不愿意听。只说着："啊呀！这孩子呵！你瞧！多么……。呵唷！哈哈！"或者有人向他诉苦，他就答道："唉唉……。这实令人同情。……我想，你总会好起来……。可不是么？……"而最得意的创作是："今天天气……哈！哈！哈！"这是最有普遍性永久性的文学，所可惜者这只是人们当"和几乎同类的人，只要什么地方有些不同，又得心口如一，就往往免不了彼此无话可说"的时候，某种聪明的人的万应灵药。药料名曰万应，用起来一定是万不应验，也是可以断言的。

老鸦哑哑的啼，人家讨厌它，说它不吉利，但是它只能这样的啼，不能呢呢喃喃的去讨人家的欢喜。然而这世上偏多超于是非的旁观者，所以他们谁也不为戎首，即使忍不住不得不骂一声了，那时他们也有骂的秘诀："不可涉及个人，有名有姓。"总之做人的秘诀是明哲保身，莫管闲事，既然人骂不得，一切事也自然万不可办的，凡事不加入干涉，听其自然。老子曰："上德无为而无不为。"他们大概就是这种柔道的人生观的信奉者。

也有伶俐的人们的处世法：捧。遇着些醒目的或会使自己有不安的朕兆的人物，就捧他到天上去。阿Q穿着新夹袄，腰间还挂着一个大搭连，回来未庄之后，因为有点醒目，结果也得了村人的新敬畏。这风尚在旧社会原是极普通的，县知事寿辰，因为他子年生，属鼠的，属员们就送他金鼠，使他想起了比金鼠更大的金牛。新都督来了，用拜会、恭维、送礼来捧他，捧得他昏昏然、纷纷然。总之，明知道人的欲望是无餍的，总要顺着他，甚至捧得他忘其所以，原先以为这样做，可以化不安为安，反使不安更加不安，自寻苦恼。明知道戏法的秘密，总替他隐藏着弥缝着破绽，使无聊的戏法，永存于天地之间。

这世上还有欺人者和被骗者，于是暴露者和揭发者就为人们所深恶了。分明这是一瓶补药，但有人相信是戒烟药水的，你如果不同声附和，他大约是死不甘心的。婆婆和儿媳妇吵嘴，有人以为婆婆有理，儿媳妇不对，问你的意见怎样，你也一定要同意他，要是说这事我无从判断，是不行的。奴才向你诉苦，你真同情了他，而且为他动手打开一个窗洞来，他就当你作强盗，首先向主人叫喊起来，赶走你这不识时务的傻子了。人体上总包着一些什么东西，绸缎、毡布、纱葛之类，如果你揭破了他们的衣冠，指给大家看："这是蛆虫！"他们即时沸腾起来，说你也是一只蛆虫。人们的头上绣着各种名称：学者、文士、雅人、君子等，头下绣着各种外套：道德、国粹、民意、公义等，并且还对你点头，表示亲善。你如果戳破了他头上的名称和头下的外套，你那时就成了戕害正义的罪人了。猫的偷鱼肉，夜里大叫，人们十九是憎恶的，然而这憎恶是在猫的身上，可是你如果好管闲事，为人们驱除这讨厌的东西，打伤或杀害了它，那时它立刻成为可怜者，而憎恶又转移到你身上来了。这都是鲁迅所经历过或见闻过的事实。明白了这些，我们也知道火神菩萨尽管放火，人们反而供它，但百姓点灯则不行的道理何在。偷火给人类的普洛美修斯，则犯了天禁，被锁在山上，火神命大鹰来啄他的肉。印度窃火者的待遇更惨酷，被锁在地窖子里，火神派蚊子、跳蚤、臭虫、蝇子来吸他的血。只许州官放火，不准百姓点灯，这和宰了耕牛喂老虎一样，原是这样的社会所必有的结果。

自然暴露揭发是有界限的，必须知道“不可与言而与之言为失言”这个道理。如关于学校读经的问题罢，鲁迅以评论家出现，认为提倡读经而其议论又引起然否的，大抵都是聪明的阔人。他们是“学而优则仕”的，所以他们虽然提倡尊孔、崇儒、读经、复古，却并不相信，更不去实践，是别有用意的，就是：“现在是主张读经的时候了。”而真心诚意在提倡的人，心里对于经、对于古，也没有成见的，只不过空喊几声。至于武人诸公的高论则更可笑了。张宗昌、何健之流很尊孔，他们的府上未必就藏有“四书五经”，即使有了，也未必去读，读了又未必懂，懂了更未必行。这些文武诸公，同他们议论什么呢？这是多事的。“单是妄行的是可与议论的，故意妄行的，却无须再与议论。”

不为前驱，不为闯将，是某种人处世的秘诀。这种人是没有反抗性的，只有适应性，所以驯顺如牛、如犬、如豕、如羊。然而这世界的希望是寄托于暴露者、战斗者的身上。人骂不得，事不可办，社会只有永远停滞不进。相信为恶人辩护，是自救秘诀，是处世要术的，结果也只助长恶劣势力，而自己反不能活下去。即使侥幸活下去了，也是过着无聊的生活。所以这社会如果还有要生存的人们，就必须仗义执言，为民请命，捐身殉节，舍生成仁。

三　从怀疑思想到信仰真理

所谓民族主义文学家，曾讥笑过鲁迅多疑。这大抵因为见了鲁迅什么也不免要疑虑，而做出这样的结论罢，但他却以为凡事实在大意不得，倘偶不经意，即流弊丛生，并且还疑心这些自称为言行一致的人的将来的变化，正不可想像。怀疑原非可笑的事，可笑的却是疑而不决。其实有点经验的中国人，对于变幻无常的事情，全不加怀疑，那才算可怪。例如一见以为是华清池里的妃子似的美人，而其实是蜘蛛精，同样，外面看来很尊严的有体面的绅士，却大抵又是出卖灵魂的畜类，在旧的中国，这是常有的事情。有了这些经验，人们的多疑是很自然的。而天下大事，又何尝不如此。民国以前的事，不必说，辛亥革命，虽然没有旋乾倒坤的力量，但总是一个革新运动，那时确曾显着光明，使人们觉得将来有希望。然而民国失修，不久，又渐渐坏下去，依然现着旧相，又使人再沉没于悲观失望的情绪中。所以鲁迅也因了民元革命的失败而悲观起来。

> S会馆里有三间屋，相传是往昔曾在院子里的槐树上缢死过一个女人的，现在槐树已经高不可攀了，而这屋还没有人住；许多年，我便在这里抄古碑。客中少有人来，古碑中也遇

不到什么问题和主义，而我的生命却居然暗暗的消去了，这也就是我唯一的愿望。

——《呐喊·自序》

读了这一节回忆，仿佛见着一个孤独的人，在自造的小天地里，来陶醉自己。有人问他抄了这些有什么用，是什么意思？他答道：都没有。这并不是抄古碑没有用，没有意思，只是见了周围没有共鸣的人，于是自造了一座高墙和世界隔离了。然而一个人的见闻遭遇，依然是有限的，也许未见未闻的是别的样子，况且周围还有着二三在叫喊着的人，于是鼓起勇气，也呐喊几声来应援。这是指他加入《新青年》文学革命的事。但不久同伴又各自走散了，在沙漠上剩下他一个游勇，在彷徨，而且彷徨于无地。

有我所不乐意的在天堂里，我不愿去；有我所不乐意的在地狱里，我不愿去；有我所不愿意的在你们将来的黄金世界里，我不愿去。

——《野草·影的告别》

他自己不愿上天堂，不愿入地狱，也不愿闯进将来的所谓黄金世界里。人活在现在，以为从前是好的，把现在拉回去，以为将来是好的，把现在推前去。所以现在是人生的出发点。但人们怎样把现在推前去呢？那时鲁迅是站在十字路口，正在寻求摸索之中，因为他不知道新的究竟是什么。所以他所说关于《语丝》的特点，所谓"任意而谈，无所顾忌，要催促新的产生，对于有害于新的旧物，则竭力加以排击，但应该产生怎样的新，却并无明白的表示"云云，不妨说是夫子自道。这点对于研究鲁迅的思想，有极重要的意义。那时他确实在矛盾彷徨之中，甚至于连自己也不能自解——

> 我所说的话，常与所想的不同，至于何以如此，则我已在《呐喊》的序言上说过，不愿将自己的思想传染给别人。何以不愿，则因为我的思想太黑暗，而自己终不能确知是否正确之故。至于"还要反抗"，倒是真的，但我知道这"所以反抗之故"，与小鬼截然不同。你的反抗是为了希望光明的到来罢？……但我的

反抗，却不过是与黑暗捣乱。大约我的意见，小鬼有几点不大了然，这是年龄、经历、环境等等不同之故，不足为奇。例如我诅咒“人间苦”而不嫌恶“死”的，因为“苦”可以设法减轻，而“死”是必然的事，虽曰“尽头”，也不足悲哀。而你却不高兴这类话，……又如来信说，凡有死的同我有关的，同时我就憎恨所有与我无关的，……而我正相反，同我有关的活着，我倒不放心，死了，我就安心。这意思也在《过客》中说过，都与小鬼的不同。其实，我的意思，原也一时不容易了然，因为其中本含有许多矛盾，教我自己说，或者是人道主义与个人主义这两种思想的消长起伏罢。所以我忽而爱人，忽而憎人，做事的时候，有时确为别人，有时确为自己玩玩，有时则竟因为希望生命从速消磨，所以故意拼命的做。……但我对人说话时，却总拣择那光明些的说出，然而偶不留意，就露出阎王并不反对，而“小鬼”反不乐闻的话来。总而言之，我为自己和为别人的设想，是两样的。所以者何，就因为我的思想太黑暗，但究竟是否真确，又不得而知，所以只能自身试验，不敢邀请别人。

——《两地书·第一集》

他的所谓“人道主义”，意思是对于旧社会的反抗，而“个人主义”，则是麻痹和消沉。但个人主义和人道主义的起伏消长，正是那时矛盾生活的具体表现。一时为己，一时则为人，一时爱人，一时则又憎人，有时确为别人做一点事，而有时竟又以做事为游戏。为什么思想如此矛盾呢？这是由于他对于旧中国的悲观。那时他以为中国在最近几十年中，未必能够做出多少事情。黑暗社会一定要灭亡，而且正在灭亡之中，这点他是相信的。但新起的社会是什么，则又未认识清楚，因此生出了他独特的生活态度，就是个人主义，即对事的游戏态度。因为在这样的社会里生存，是不免要痛苦的，为减轻痛苦计，只有与痛苦捣乱，以无赖手段自慰。他所指的无赖手段，就是骄傲与玩世不恭，即随遇而安，顺随现在，使不满于时代的心被压抑、被麻痹。既顺随或玩弄环境，自然也不为自己的生活打算，一切听人安排，如果为保存生活手段起见，也许有时不免瞻前顾后，或小心翼翼，于是变为又倨又恭了。然而或倨或恭的态度，是行不通的，因为待到你小心翼翼地或骄傲地一滴一滴地在人生长途中流干了你的血，疲弱了，饮过你的血的人，也许给你一下恶棍，算为社会除去你这个无用的废物了。这是鲁迅对于自己的怀疑思想的解剖。

然而旧社会虽然黑暗和空虚，但改革未必就完全绝望。“世界岂真不过如此而已么”？并不是的。即使旧中国是太老太黑暗，我们也不必过于悲观，总可以想办法来革新，希望在将来，是一定会有的。

希望是附丽于存在的，有存在，便有希望，有希望，便是光明，如果历史家的话不是诳语，则世界上的事物可还没有因为黑暗而长存的先例。黑暗只能附丽于逐渐灭亡的事物，一灭亡，黑暗也就一同灭亡了，它不永久。然而将来是永远要有的，并且总要光明起来；只要不做黑暗的附着物，为光明而灭亡，则我们一定有悠久的将来，而且一定是光明的将来。

——《华盖集续编·记谈话》

由于这进化论的信念，又鼓舞了他的战斗的意志，以为必须反抗来试他一下。所以为着了“身外的青春”，就情愿牺牲“身中的迟暮”。《野草》里记着这样的经验。他摘了病叶，夹在书里，这是希望这被蚀的斑斓的颜色，暂时保留。但隔了一些时，这叶已经是黄蜡似的了。可见病叶的斑斓，只能保存于极短时中。他又根据进化论的规律认为个体的生命是有限的，能永久保存的，是这由无数个体所成的种类。人类中的谁某，一定会死亡的，但人类却无限地存在着，而且在进化着，所以幼的、壮的、老的，都应该高高兴兴的向前走去。杨村人见了他的衰老，而惊心动魄起来，使他觉得稀奇，以为幼、壮、老、死，是自然的法则，即使他老了，即使他死了，他也决不会把地球带进棺材里去，使它和自己同死，因为它还有希望。因此他在遗嘱上写给与他有关的人，要忘记他，管自己的事情，也是高高兴兴的向前走去的表示。到后来，又觉得只有新兴工人阶级，才有将来，自己只有同着它前进，才能实现所追求着的理想。“惟有左翼文艺现在在和无产者一同受难（Passion），将来当然也将和无产者一同起来。”而且工人阶级在俄国的战斗早已成功了，结果，“一个簇新的，真正空前的社会制度从地狱底里涌现而出，几万万的群众自己做了支配自己运命的人”。俄国人是从苦斗中才得到这样的结果，所以在现在要怎样去斗争，是最切实最根本的事。追求着未来，而忽略现在的奋战，正如造楼而不先立地基一样，新社会是断然不会来的。

四　永远的革命者（缺）[1]

[1] 原文如此。——编者注

第四章　社会思想和政治思想

一　一治一乱的历史

作为史论家政论家看的鲁迅，至今还是不大普遍的观点。但从他的作品中有关于历史问题的部分作概括的研究，则他确实是一位杰出的政论家和史论家。

记得《阿 Q 正传》发表之后不久，关于阿 Q 式的革命，有人以为像阿 Q 这样的人，根本是不应该去做革命党的，但既已做了，而阿 Q 的团圆，又不该写得如此悲惨，只成了示众的材料，也许在当初，连作者自己也预想不到罢。这疑问虽然是关于小说的写法，但其实也是中国历史的中心问题。

中国史籍中有《二十四史》那样浩瀚的文献，可见“革命”也经历过许多回了。然而历史上的所谓革命，只是朝代的兴废，政治上的风云，未曾摧毁过社会经济的基础，所以历史的典籍也依然是为帝王将相而写的行状，这是因为历代的农民革命都是被利用被镇压了的缘故。

> 造反？有趣，……来了一阵白盔白甲的革命党，都拿着板刀、钢鞭、炸弹、洋炮、三尖两刃刀、钩镰枪，走过土谷祠，叫道："阿Q！同去同去！"于是一同出去。……
>
> ——《阿Q正传·革命》（第七章）

鲁迅这句话很扼要地记述了中国农民革命的实际状况。倡乱者造了反，附和者又一同赴义，于是聚众成群，这正是中国农民运动的真象。这同去的一群的响应，自然是被压迫的结果，他们对于反抗现状这一意志，大致相同。但并没有最终的目的，于是也无例外的都神往于元宝、洋钱、洋衫之类的东西。但是野心家是每个朝代都有的，他们利用了农民的叛乱，达到了夺取王位的目的之后，又和农民约法某章，多少减轻了农民负担。而且大乱之后，社会问题也不比造反之前这么严重，农民们于是在新的奴役条例下被规定“怎样服役，怎样纳粮，怎样磕头，怎样颂圣”。自然新的规条有多少的不同，但也依然是同类性质的东西。所谓汉法，或唐法，依然是秦法的变相。所以一治一乱，就是中国历史运动的规律。所谓治，如鲁迅所分析的其实是“暂时做稳了奴隶的时代”；所谓乱则是“想做奴隶而不得的时代”。在一代不如一代的人看来，中国仿佛古时是很好的，禹、汤、文武、周公，是所谓圣代的君主，但同时也有启伐有扈，汤伐桀，武王伐纣，周公平四国、灭管蔡，还有春秋战国，还有每个朝代末叶的纷争，这都是历史的事实。自然老百姓有造了反的和旁观的两种。造了反的，因为没有最终目的，老的规矩修正过后又辛辛苦苦地活下去了。至于其他中立者或旁观者呢，虽然是最大多数，但他们没有组织，所以也没有力量。可是这么一来，他们就无往而不遭殃了。他们不知道自己究竟属于那一面，强盗或官兵来了，都不免于祸，因为他们是属于无所属的一类，所以无所属者反而变为无所不属者。这时候小百姓就希望有一个人主出来，定出一种规条，可使他们再走上被奴役的轨道，有了新的规条，于是天下又复归于太平。

鲁迅用了许多史实来证明他这种看法。人臣的妻女死了，圣旨命令着狗子吃了，这是明朝永乐皇帝的德政。张献忠的为人更古怪，真是为杀人而杀人似的，所以抗者、顺者、敌者、降者也一概都被杀了。金人来了，对于汉人的待遇是："任其生死，视为草芥。"清人来了，汉人的处境是："人与牛马相枕藉，腥臊之气，百余里不绝。"开了海禁之后，花样更多。有所谓推，推者是洋鬼子和高等华人，而被推者是下等华人，他们要推倒所有下等华人。又有所谓踢，不只用手推，并且用脚踢。中国人即使在码头上乘凉，也会无缘无故被踢落水，送掉性命的。你要打抱不平去救你的朋友或拉住凶手罢，又被用手一推，也落了水。或推或踢，或同时又推又踢，于是被推者被踢者只有两条路可走：一是落水而死，二是被推被踢到"反动的码头"上去。还有所谓抄靶子，中国人是该用枪打杀的东西，四万万的靶子，都排在文明最古的国土上。

自有历史以来，中国人一向被同族和异族屠戮、奴役、敲掠、刑辱、压迫下来的，非人类所能忍受的楚毒，也都身受过，每一考查，真教人觉得不像活在人间。

——《且介亭杂文·病后杂谈之余》

中国的历史，正是如此循环地运行着，我们把人肉献于国内国外的强权者，献于刘邦，献于李渊，献于朱元璋，献于金，献于元，献于清，献于洋鬼子。而这人肉的筵宴，从有文明以来，一直排到现在，有许多人还想继续排下去。然而在这几千年来一直排着的筵席上，有些人虽然自己有被别人吃掉的危险，但也有吃掉别人的希望，于是逐渐忘却了本身的利害，这正是历代的暴君治民的政绩。但有一事为历代治民者所无可如何的，即奴隶终竟不同于奴才，有时也不满于现状，还有不平，有反抗，有组织。

细腰蜂捉了螟蛉放在窠里，又在它身上生下蜂卵，给孵化出来的幼虫做食料。而被捉的青虫，被细腰蜂用毒针向那运动神经球一螫，成了不死不活的状态。使被伤害者不死不活，他认为这是神妙的麻痹术，因为不死不活，所以也不动不烂，并且一直到它的子女孵化出来的时候，这食料还和被捕时同样的新鲜。

然而暴君的杀人的毒针，断然不能够如此灵验的。古来最出名的注射法，是徙富豪于关内，收民间兵器，偶语者弃市，使你在他的监视之下，不敢言也不敢动。但以力压人的霸道，到底不能服人，于是有圣经贤传法："唯辟作福，唯辟作威，唯辟玉食。"——总而言之，阶级是被注定的，所以动弹不得。民国时代，又有所谓进研究室主义，莫谈国事说，勿视勿听勿言论，这更神妙了，是使大家瘟头瘟脑的活着。然而他肯定的说，这是无用的。因为螟蛉的献身于细腰蜂，是被麻醉至不死掉，也不动弹。但人和青虫不同，要作威，就必须被治者不活：死掉，但要使被治者做食料，贡献玉食，又必须他们活着：不死。必须能运动（不死），又无知觉（不活），对于人，这是难能的事。因为人一无知觉，即神经被麻痹，也就无从献身了。其实人毕竟是人，也不能那么容易被宰制的。所以古今圣贤学者虽然都提倡穷人哲学，使人安于运命，但待到穷人连气也喘不过来的时候，就一定起来反抗，何况一个人的运命，非到盖棺之后，是不可知的，自然也不安分守己来变循环的戏法了。

鲁迅还有一个更重要的历史观点。过去的历史是沿着一治一乱的轨道而循环不已，但决不是永远如此，因为前面有另外一条新的道路。中国将来必然的要走到共产主义的理想境地。在共产主义社会里面，没有贫富、贵贱、主奴、尊卑的区别。这是由于近代中国出现了工人阶级，工人阶级有政治的远见、有热烈的爱憎，能够解剖过去、掌握现在、推断未来，因而工人阶级是历史的必然性的体现者。

二 中国革命的根本问题

鲁迅所憧憬的没有主奴、官民、上下、贵贱、贫富的共产主义，不是一下可以达到的。人类创造自己的历史，但历史是怎样创造呢，却又为当时的社会经济形态所制约，所以从有文明以来的革命，都刻着时代的烙印，决不能跨过这一步，而虚拟革命的目的和方法的。中国革命和中国社会经济形态互相适应，并且为它所制约，所以现时的社会制度的改革就是革命的根本问题。

但是中国现时社会制度是什么呢？鲁迅论青年问题

和妇女问题的时候，关于中国社会制度，也连带着加以批评。他认为封建时代的女子和儿子是最卑下的人，这样的社会里制定了许多不合理的礼法，使他们永远动弹不得。封建的礼教是他所攻击的主要对象。

王、公、大夫、士、皂、舆、隶、僚、仆、台，这是见于《左传》的古代中国社会的阶级制度。台是最下层，由台推上去，一级高于一级，上级臣下级，下级服上级。但台（其实皂、舆、隶、僚也是一样），他们岂不负着片面的义务吗？这也不尽然。在这样的社会里，男人们虽然有差等，如官民、上下、大小之类，而且一级一级的统治着，然而男人以外，还有女子和儿子，即不在这十等之中，还有更卑下的人们，就是台的女人和儿子。这就是中国一向布置下来的等级，夫臣妻、父臣子，连台也得其所。自己被人欺负，又去欺负卑于自己的别人，于是人们就在这种阶级制度之下，心安理得的做奴隶。这个观点是他对于中国社会的最深刻的分析。

固然王、公、大夫之类的名分，民国以来是没有了，但变相的等级，却依然存在。古来道德家的女子教育的最中心内容是节烈，已嫁未嫁的女人，丈夫死了，必须做节妇或烈女。女人做了节妇或烈女，社会就来表彰她们。这就是道德家的理想。做一个出类拔萃的人，自然并不是坏事。可惜这些道德家不教人活着，而教人死掉。蝼蚁尚知贪生，何况人！所以合理的人的教育是教人活，不是教人死。革命是恐怖的事，但革命也并不是教人死，而是教人活的。自然，革命者也不免于死，但他们要从死里逃生，从死里求生。然而古今圣贤的经纶，却和这种理论相反，他们叫女人做节妇烈女，就不啻教已嫁未嫁的女人，祈祷着丈夫死了。死了丈夫，节妇烈女才做得成，不然，只是一个平平凡凡的女子，做不成出类拔萃的人了。对于这种不合理的女子教育，他是尽了讽刺的能事的。

有的人以为这是古时候的陈迹，民国以后的中国大概不是这样了。君不见民国宪法上也载着民国的国民在法律上一律平等吗？姑不论做节妇烈女的风化，在中国还有多少作用，假定依宪法所定早已被革掉了罢，但他觉得女子教育的不让女子活着这种思想，是依然不变的。他批判了这样的事实。其一就是教育上的坚壁清野主义。女人一律都收起来，关在深闺或浅闺里。大家不见可欲，也不起异心，中国道德第一，中国也就有救了。但中国得救了没有？没有的。蛮人来做过我们的圣上，农人们也造过反，圣贤之徒也常互相杀戮，天下并未澄清过。只落得女人们被锁在幽谷里，一切人权被剥夺，默默的枯死了。其二就是寡妇主义。办教育美其名曰贤妻良母主义，而其实是寡妇主义。什么是寡妇主义呢？女子教育由寡妇或拟寡妇来主办。要女人做贤妻良母，必须锻炼她们做妻子做母亲的爱情。感情虽然是天赋的东西，但也要有刺激，然后发达，因此必须教育者首先是模范的贤妻良母，有了情人，有了丈夫，有了儿女，来刺激运用她们的为妻为母的情性才行。但社会竟信赖了一些爱情潜伏着或萎靡了或变态了的独身者来造贤妻良母，那结果所造的大抵都是“精神上的‘未字先寡’”的人物。于是教育使青年女子都失了活泼的朝气，非人模样地活下去了。这寡妇主义也不是使人活而是使人死的。

女人既已附属于男人，自然也可作商品一样，买来卖去。丈夫死了，她的卖身契只值八十元；被丈夫所弃了，她的身价也只等于九十元。死了丈夫，还活着，又不守节，当然有大罪名，是败坏风俗的谬种了。这是他的小说里的人物祥林嫂和爱姑的境遇。殉了丈夫的秦理斋夫人又怎么样呢？也不行，人们又骂她是弱者是逃兵了。至于被男人所侮辱而吃安眠药自杀的阮玲玉更不行，那时社会舆论又当作新闻材料而任意加以笑骂了。“女人的替自己和男人伏罪，真是太长远了”，他这句话是一部中国妇女生活史的结论。

现代中国不是有不少的娜拉吗？娜拉的出走，的确是严重的社会问题。但妇女问题的根本，不在于娜拉走了，却在走了以后怎样。女人觉悟了，自然不满于现状，但觉悟的是心，为使这觉悟的心永远得胜，经济是最要紧的事。因为“自由固不是钱所能买到的，但能够为钱而卖掉”。不然，就只有三条路可走：一、死了；二、回来；三、堕落。子君不是出走的娜拉吗？她说：“我是我自己的，他们谁也没有干涉我的权利。”这所谓他们，不是她的丈夫，而是她的父亲和叔父，但她毕竟跑出她所不满的家庭了。因为爱，她是勇敢的、无畏的，但这爱的心、勇敢无畏的心，并没有物质保障的。所以她不附丽于父亲，而又附丽于丈夫，结果她又跑回去了。可是觉悟了的心不能使它麻痹的了，她于是死了。堕落即等于死，回去，到底也只有一死。所以他肯定的说经济权不革命，女子解放就没有可靠的保障。

但是有经济权的女人也并不是没有的，女子如今也有各种的职业：女工、女医生、女教员、女职员、女招待等。然而她们的走出闺阁，到了社会，就算解放了吗？也并不。因为他觉得这各种职业，依然是男子社会所摆布的新花样，只是位置转移一下，而其实被戏弄的本质，是先后一样。所以他又肯定的说经济权是为社会制度所制约，社会制度不改革，女子的经济权也是不能够单独解决的。

在这样的社会里，儿子的受难，也并不减于女子的献身。

大凡排斥异端的人们对于生命和青春，也一定是毫不顾惜的。其实用强制儿子学着老子这样的儿童教育，还不够说明着这些人的用心。“父在观其志，父殁观其行”，不违志，不违行，也还依然守着现状。最可怕的是为着保存身中的迟暮，而牺牲了身外的青春，绝灭了进化的过程。郭巨为了供养老母，就埋掉自己的幼儿，这是自古相传的美德，虽然有良心的老儒也反对此事，以为忍心害理，但是儿子的为老子受罪，却是从古至今的常经。儿童在家庭里，不是养成为流氓式的顽童，就是变了死脸相的好孩子。入了学校，所学的又和现实社会生活完全隔绝，使成了矛盾冲突的人，成了小古董。入了社会，大人们又堵住了精神食粮，使蒙昧与渺小，成了末人。但那时大人们又催促他们做突围请援或上阵杀敌的奇童了。有的还指点少年们去学文天祥与岳飞，立刻做起文官和武将来，把不可做或未可做的事，都责成儿童去做。其实这虽然教坏了儿童，也还在教，养了儿子，不加教育，那就更可悲了。最骇人的就是指着青年大喊：杀、杀、杀。甚至于他们的头颅被斫下来，还要使死者的血来洗净了杀人者的罪恶。

鲁迅目击着这种社会现象，他作为中国青年的辩护人而出现，对于封建礼教，大加抨击。他说："自己背着因袭的重担，肩住了黑暗的闸门，放他们到宽阔光明的地方去，此后幸福的度日，合理的做人。"这就是反古而行的不以大人为本位而以幼童为本位的宣言。

但是以父家长[1]为本位的宗法礼教，正是封建主

[1] 他兼有两种人格，父与夫，父是子的对称，夫是妇的对称。

义的意识形态。社会经济形态是一元的，封建思想是附着于封建社会里面的一个构成部分。以文化批判家出现的鲁迅，从这里面看出了封建压迫是中国问题的核心。还有一层，世界经济是有机的统一体，封建压迫和民族压迫是相应的，帝国主义保存着落后国家的封建关系，而封建残余的存在，反过来又支持着殖民地政策的推行。到他晚年，他是把反对帝国主义和封建势力这两种运动统一着来看，认为是中国革命的根本问题，也是中国达到社会主义所必经的道路。

三　革命战术

革命的目的是除旧布新，即破坏旧物，建设新制。但破坏是建设的第一步，无破坏，也无建设，破坏不彻底，建设也不成功。

然而中国从古至今，就散布着儒者的不念旧恶，犯而不校的教条，以为别人侵害了自己，而自己却要不校不念。至于老子的柔道，比孔子、曾子的勿校勿念说更进一步。老子相信柔胜刚，弱胜强，因此他反对任何人为的干涉，主张以德报怨。孔老的人生观，是教人退让、宽恕、柔顺、谦逊。但在旧社会里，反对报复的人，其实是压迫者，因为他们早已动手杀了人或打了人，又怕被伤害者还手，然后教他们容忍、旷达、勿校、勿念。然而被压迫者为生存起见，则惟有必校必念。但他们对于压迫者的报复原是自卫的，所以并没有报复的毒心，更没有被报复的畏惧。

鲁迅的著名的打落水狗论，就是这种反抗精神的表现。狗被打而至于落水，在正人君子们看来，大概是很可怜了，不妨听其自然，让它在水里爬罢。然而我们还不能如此宽容，应该打下去，打得它沉到水底里，永远不能浮起为止。因为狗是能浮水的，狗落了水，就以为使命完毕，待到它爬上岸之后，依然是狗，所以咬人的狗，要打就得打到底，在岸上在水中，都是一样。

由他看来，不去打落水狗，反而被狗咬了的事，实在太多了。民元革命之后，革命党说：这是咸与维新的时候，所以不打落水狗了，因此听它们爬上岸来。好了，它们都爬上来了。二次革命的时候，就出来咬死了许多革命者，使中国又沉入于黑暗中，使革命者为反抗黑暗必须费更多的力气和生命。秋瑾是给恶绅所谋害的。民元，她的同志王金发带兵到绍兴，抓了这谋主，但又念念不忘孔子的不念旧恶的古训，终于把他释放了，不久，王金发也还是死于这人的暗算中。明知道这狗会咬人，偏要宽容，明知道这狗曾咬过人，也还是漫不经意，结果反而被狗咬死了。最著名的血案是袁世凯的屠杀革命党。有人曾叹息说：杀人是可以的，但要杀坏人，然而袁世凯如此暴虐，是杀错了人。但是鲁迅特别强调袁世凯并没有杀错过人，他原来就是欺君卖友的恶人。狗还是狗，小人还是小人，所以中国的闹成现在这模样，并不是因为他们杀错了人，而是我们看错了人。

道有三种：直、恕、枉。有人问孔子，伯夷、叔齐饿死于首阳山下，怨不怨呢？孔子说：求仁而得仁，又怨什么？这就是直道。但中国常有的是恕道，不报复，厚道，以德报怨，结果纵容了恶人，使恶人得救，又来作恶。不去打落水狗，反而被狗咬了，这是他感觉着最痛心的由恕道而来的枉道。

这些都是由清末至民初鲁迅所耳闻目见的故实。他从此获得了他的革命战术。他的革命战术包括三个基本问题。

第一，关于革命和屠杀，论争和辱骂的区别。革命和论争其实是一个命题的两个步骤，革命是由实践方面来说，论争是由理论方面来说。但革命和屠杀，论争和辱骂，则是全不相同的两件事。在革命过程中，镇压反动，这是势所必至的事，但革命的目的，不是为了杀人，即使是正面的敌人，只要不死于战场上，也终有革命裁判的一日，决不是乱杀人。天下无双谱里的张献忠，才是乱杀人者。他自己做不成皇帝了，于是开手杀、杀、杀，杀个干净，使自己的对手也做不成皇帝。总之，自己是完了，但也要使别人达到同一的绝境。至于论争，则是对于真理的辩解，论争之后，使人们认识清楚各方面社会现象，并不是骂姓氏、骂籍贯、骂爹娘，更不是无端虚构事实，或施行人身攻击。即使笑骂敌人，也要笑中有刺，骂里藏刀，即喜怒哀乐，皆成文章。

第二，教人姑息、宽容，是压迫者的退却战术，被压迫者要反抗就得反抗到底。必须是“拳来拳打，刀来刀当”，“用更粗的棍子对打”。这是互为因果的，那方面疾善如仇，这方面也要疾恶如仇。富人不曾给过穷人一碗素面，穷人们也不会为富人设备鱼翅。野兽们要实现野兽式的幸福，使千万人都在他的权力之下发抖，革命者为实现新的社会，也必然要镇压反动。

彻底破坏是革命建设的起点。但是彻底也不是字面上百分之一百的意思，这是有可能和必要的界限性的。忽略了这一层，很容易走到一个危险的极端。如文艺运动，也是有对象的界限的。对于文盲，文字就失了应有的作用，对于瞎子，文字以外的形象，如电影戏剧等，也无能为力，遇着聋子，唱歌和说书也无用了。于是彻底论者就下结论：现在的一切文艺全都无用，而文艺也只好被否定了。又如翻译，彻底论者以为翻译者一定要根据原本，译出一劳永逸的书，重译，不行，不必动手。悬一个彻底的标准，去做的人又没有多少，于是翻译界就荒芜了。又如要自由而保障复辟或屠杀人民的自由，要革命而"革"革命者的命，于是彻底成了透底，只剩一个无底的窟窿了。

第三，旧社会人们的脸上，不少涂着一层脂粉。明明是磕头、吹牛、讨好，却装出超然、中正、高傲；明明是作恶、杀戮，却装成慈祥、正经。这恰如“人肉酱缸上的金盖”，要障住人们的眼睛。然而黑不同于白，幽不同于明，就是光明，也有微明，有光天化日，就是黑暗也有昏暗，有漆黑一团。狗有好几种：有猎狗、有军犬、有哈叭狗，有好的、也有坏的。同是蛆虫，也有两种，平凡的要隐藏原形，伟大的要揭发自己。狼是狗子的祖宗，但狼狗有分，猫是狮子的兄弟，但狮猫两家。人们之中，有好人也有坏人，同是中国人之中，有高等华人也有下等华人。就是同一流人中，如帮办者罢，有帮忙的、有帮闲的、有帮凶的。更推广下去，奴才与奴隶，同是被人驱使的，但又各不相同，前者是自安于和使别人甘心于这种生活的，后者却有不平、有反抗。就是唐吉诃德罢，也有西货和国货的类别，前者是老实的读书人，而后者却是故作怪相给别人看，想要骗取别人的愚昧的鄙夫。

人鬼、黑白、是非的分辨，既然那么紧要，因此，在战斗之前，必须看清对象，要救死，要逃死，才真救了死，或逃了死，不然，就为仇者所快，为亲者所痛。

四　不抵抗主义

十九世纪末与二十世纪初，是鲁迅所处的时代。那时，内忧外患交迫，是中国最多事最危殆的时代。为了解除国内国外的压迫，中国也经过很多次革命运动。但是在大革命之后，窃国者固执着其安内先于攘外的政策，结果是招来了二十年九月十八日的国难。由战争起家的"蛮子国"——日本出师越出国境，突破了自诩为礼让之邦的"君子国"——旧中国的国防。君子国的主人们手足无措，惟有哀请青天大老爷——国联来主持公道。可是这些老爷们又忙着和蛮子国的主人们互通款曲，商量着国际共管的计划。君子国的老百姓起来反抗了，他们要驱逐蛮子兵出国境，要撕废一切奴隶秩序。君子们应付这非常事变，用了很神秘的国策。对老百姓说，我在抵抗，对蛮子兵说，我在交涉，于是国策是一面抵抗，一面交涉，扮演出来的是："似战似和，又战又和，不降不守，亦降亦守。"既有如此奇妙的"国策"，于是放弃据点，退守城池，并不要紧，这是诱敌深入的一种战略关系。又发明了迎头经，迎头经的要义是：蛮子兵一到，迎头而赶，蛮子兵退却了，不要向后跟着。一个大题目："安内攘外论"，君子们争着做文章，而做得最独出心裁的，一是安内而不必攘外，二是不如迎外以安内，三是外就是内，本无可攘。内外既已无别，都是一伙，自然也不必攘而只有迎了。其实君子们还有什么文章可做呢，也只有修文德而媚邻人而已。然而在这时候，他们的为王前驱的责任算已尽到了。但是怎样安内呢？全国劳工——小人们——都统一于"国家意识"之下。要是不这样，竟构成了严重事态，又怎么办呢？对付的办法则是格杀勿论。还有更可表示处事者的苦心孤诣的就是治心术。治心术的道理很奥妙："外面的身体要它死，而内心要它活；或者正因为那心活，所以把身体治死。"对于在"国家意识"统一之外的，未曾受治心术医疗过的化外人，则又用最直截了当的办法，就是派了飞机到那里去下蛋：炸、炸、炸，使这地区的生命完结；或者驾着不负责任的坦克车，人藏在厚厚的铁板里，向着化外人砰砰碰碰的轰炸。

但人类是感情的动物，当大敌压境的时候，眼看着国土沦陷，心里总是很愤慨的。况且君子国除了几个君子以外，所有被害的小百姓们是很苦痛的，尤其对于知识青年们，于是有爱国运动。对付这些反对者，是使他们的头都恰巧碰在刺刀和枪柄上，使他们自行失足落水而死。幸而免于碰，也免于死，但又被开除，交还家长约束，又勒令进研究室。如果不受管束，不进研究室，依然在议论，甚至于在作反对运动，又怎么办呢？“天下有道则庶民不议”，如今还在议论在反对，可见是无理取闹，于是“虽流血亦所不辞”。

君子国中，有所谓帮凶者，在非常时期中，也曾尽过非常的任务。为着救熄自己侨居过的大陆的火灾，他着了急，一转，“人权论”忽而变了质，变了“政府权论”。“任何一个政府都应当有保护自己而镇压那些危害自己的运动的权利。”这是胡适之的胡说。君子国政府里建了殊勋的老旦退了场，由顽笑旦出场，她又学着老鸨母哭火坑的惯技说：“我不入火坑，谁入火坑。”然而这是行不通的，因为老鸨母哭火坑，未必有人肯相信她。到后来，她也惟有作最无廉耻的卖淫妇去了。这是汪精卫的下场。有的帮忙者又在出卖复药，即也在骂、也在颂，又激烈、又和平。总之，要扮演得两面光滑，使这一面的君子们看来是颂，那一面的小百姓们看来是骂，而其实是颂了。似乎是激烈，又似乎是和平，但其实是和平。这是君子国的二丑们的最苦心孤诣的戏法。

还有五花八门的救国论。有的说实业救国，有的说储蓄救国，有的甚至于说，观赏救国歌舞，看两亲家游非洲，吸马占山牌香烟，养德国警犬，服某公司益金草，也无不爱国。然而这些全是广告，出卖旧商品的新广告，趁着国变中都浮起来了。浮起的沉滓，结果必仍旧沉下去，并且不能再浮起来，但既已浮起来了，又加以广告的作用，这不过是想榨取更多的利益到自己手里去的意图而已。

又有另一种人。在君子们看来，知识不啻是祸根，因为有了知识的人，不是心活，就是心软，但心活心软都是危险的，“心活就会胡思乱想，心软就不肯下辣手”。因此，必须实行铲除知识了。但要铲除的知识是教人心活心软的知识，而进研究室主义，在研究室里学习债权论和最小公倍数，研究命理学与识相学等所谓知识，却是例外的。可是蛮子兵来了。而青年知识者却赤手空拳，平日所学的不但和打仗不相干，恰好是相反。这有什么办法呢？于是他们只得逃难，各自走散，自然更谈不到赴难了。有的论者要责备他们，说他们虽不能赴难，也不该逃难。但鲁迅则认为既不能赴难，就只有逃难。并且实际上他们的逃难，正是瘟头瘟脑式的教育显了效果。固然，不赴难，甚至于逃难，是不好的，但这是有原因的，所以是必须来辩解的。

君子国是以礼立国的，“非礼勿视，非礼勿听，非礼勿言，非礼勿动”。不视、不听、不言、不动，静静的等待着，所以有礼就必有让。然而礼不下庶人，礼既然和小百姓无关，自然，让也与他们无缘了。

> 在中国，没有俄国的基督。在中国，君临的是“礼”，不是神。百分之百的忍从，在未嫁就死了定婚的丈夫，坚苦的一直硬活到八十岁的所谓节妇身上，也许偶然可以发见罢，但在一般的人们，却没有。忍从的形式，是有的，然而陀思妥夫斯基式的掘下去，我以为恐怕也还是虚伪。因为压迫者指为被压迫者的不德之一的这虚伪，对于同类，是恶，而对于压迫者，

却是道德的。

——《且介亭杂文二集·陀思妥夫斯基的事》

鲁迅的意思是说：忍从，在君子们看来，是道德，而在小民们看来，却是不德。根据这个观点，他认为即使有不抵抗的君子们，有君子们的帮忙者和帮闲者，然而小百姓是不能容忍到底的，他们终竟反抗起来，所以也惟有他们才是真正的抵抗侵略者的脊梁。

第五章　文艺论

一　中国文艺界的阶级斗争

有些资产阶级批评家是特别憎恶有倾向的文艺的。他们醉心于自由创造，要作者有一种逍遥于事物之外的本事。鲁迅引证画家画鬼的事，作了辛辣的讽刺。画家的画鬼，大概是可以发挥自由创造的本事罢，但可惜所写的鬼相，又不出于三只眼、长颈子之类的在人体上所有的东西，依然不离现实。所以，为没落阶级所收买、所雇用，而做歌功颂德的文章的人，固然是无耻者，但超出于现世的文学家，也是没有的。又如关于美国电影输入中国的意义罢，凡有武侠的、冒险的、神怪的、肉感的、香艳的、滑稽的电影，虽然并非以中国人为对象而制作的，但运到中国来开演，也有某种作用。看了男主人的英武神勇，只有自愧弗如，看了主人们的风流潇洒，只好自惭形秽。这是电影的作用。浙东农村里所演的旧戏《斩木诚》，这是一个老仆代替被诬陷的主人去伏罪的故事。这悲壮剧在农闲时上演，托出一个所谓忠仆、义士、好人的影子，使他们发见了自己的模范。这是戏剧的作用。然而被损害者却又未必这么愚昧，连这点也看不出来。鲁迅又举出二丑艺术以为例。戏台上的二丑，不同于小丑，他扮作上等人的模样，是公子的清客。但遇着公子在倒楣的时候，他又转过头来向台下的观众装鬼脸，表示他自己不一定是公子家的一伙，还可以到别一家去帮闲。这种艺术，断然不是出于二丑们的心裁，他们不愿也不敢这样去写。这是老百姓看惯了这种人，加以概括，而搬到戏台上去的。所以现在的艺术总是“一面得到蔑视、冷遇、迫害，而一面得到同情、拥护、支持”。

蔑视、冷遇、迫害和同情、拥护、支持，正好说明中国文坛阶级斗争的必然性。有些人悲观于文坛的不干净，以为“孰是孰非，殊非外人所能详道”，必须“各人均应先打屁股百下”。或者把轻人者和被轻者，都当作丑角，然后天下太平，文坛万岁。然而一看文学史，文坛上也有完整而干净的时候的，但必须战斗，破坏旧的，建设新的，而不是不分皂白，无是无非，使自生自灭。譬如《民报》和《新民丛报》，一面提倡革命，一面鼓吹保皇，新青年派和复古派，一面输入新潮，一面保存国粹。又如有人劝青年读《文选》和《庄子》为文学修养之助，有人大加反对。有人死抱住文学不放手，为文艺而文艺，有人大加指摘。还有，有人说萧伯纳是矛盾的人，同情工人又不去做工人，反抗社会，但又不是马克思主义文学者或实行革命家；又有人说把这样的萧伯纳当作现在世界的文豪，看是谁的矛盾等等。界限不可谓不分明，斗争不可谓不猛烈，所以一时的混乱、谩骂、诬陷，终归不可免。但后来文坛也总有分明的是非和爱憎，证明谁该存在和死亡。

然而没落的社会里的人，偏要违反这种规律，想出许多治国平天下的法子来。专制主义者的策画，如鲁迅所指摘的，第一种是用青一色的货色来垄断市场。但是市场的竞争是无法强制的，海关征税，也许可使商品难于出境，但不能禁止资本的越出国境。而中国有名无实的海关甚至于连商品也不能加以限制，更不必说自由私运了。文化市场也是如此，观众的取舍是没法强制的。中俄文化的沟通不是不可遏止的潮流吗？尽管有文人学士的讨伐，他们要保护艺术的宫殿，尽管有文人学士与流氓警犬的联军的讨伐，他们要支持黑暗的世界，但俄国文学总是介绍进来，传播出去。看客对于萧伯纳的取舍，也是有根据的。萧来上海游历，中国、英国、日本、白俄的报纸，都一齐加以攻击，或者只听取了自己所喜欢的讽刺。推己及人，那也毋怪小民对于“用自己所手造的和别人所帮造的墙，和时代隔绝”的章太炎的追悼会的冷淡，何况这会还是由官绅所主持呢！这样类推起来，人们的爱恶，就不是无缘无故的了。譬如人们感觉着人间的痛苦难受，哀冤莫伸，究不如死了，反而一干二净，于是发生了对于阴间的神往。人死了，决不会把地球也带进棺材里去，大抵是一双空手去见阎王。那时活无常的手里，就拿着大算盘来算账，任你摆着臭架子也毫无用处，于是人们对阴间的公正裁判官活无常，也就亲热起来。没有好境遇的俗人爱无常，而有好境遇的雅人却又爱读晚明潇洒的小品，这些文弱书生为了保全性灵，对于残酷的事实，只好是不闻不问，于是这类作品，也就在这类人们中间流行了。

明白这道理，也会知道，有不少国民党刊物，有钱有势，本可以风行全国的了，然而读者有限，连投稿者也并无几人的这种秘密。“群玉班”成了“群丑班”，自然看客都走散了。

第二种是用一个题目限制了作家。大家都谈风月，大家都做“学而时习之”。姑且不说“谈风月”的人，谈起风云来的事了。其实同样的题目，也可以做出完全不同的文章。“谈风月”可以吟“月白风清，如此良夜何？”也可以吟“月黑杀人夜，风高放火天”。词里可以骂娘，也可以打打麻将，也还可以唱一出平津会杂剧。又譬如安内攘外罢，也可有种种做法，而做出来也不妨都是文章。有的说安内必先攘外的；有的说安内同时攘外的；有的说不安内无以攘外的；有的说攘外即所以安内的；有的说安内即所以攘外的；有的说安内急于攘外的；也还有的说安内而不必攘外，不如迎外以安内，外就是内，本无可攘等等。至于“香港论”、“上海论”、“学而时习之”、“大学之道”、“知己知彼百战百胜论”、“工欲善其事，必先利其器论”，请博士、学者、小瘪三、黄包车夫都来应试，我想写法决不一样，也许下等人做的文章是一窍不通，可是这不一样就打破了某些人的一统天下。

文艺既是不能够一手来包办，而屠夫们偏要滥用权力来格杀反对者的文艺的存在，那么也只有对于异端的讨伐，用文力讨伐，用武力讨伐，出演了全武行。于是用来抵制左翼的也只有谩骂、造谣，只有禁止书刊，使书店老板只好出童话，出教课书，或捕杀作家，即钉梢、绑票、酷刑。只有诬蔑和压迫，囚禁和杀戮，只有流氓、侦探、走狗、刽子手，鲁迅说这种卑劣的做法，是“更好的文艺”。其实也只有这是更好的文艺。然而单单的杀人，究竟不是文艺，他们也因此宣布了自己是一无所有了。

二　遵命文学的流派

阿 Q 喝醉了酒，忽然说起赵太爷是他的本家，而且排起来还比太爷长一辈。这大约是阿 Q 的胡说罢，有了赵太爷，怎么会有同姓的阿 Q。“你怎么会姓赵！——你那里配姓赵！”阿Q被打了一个嘴巴，还奉命改了姓。中国传说中也有和这类似的故事：暴君要号令天下，于是着人牵着一只鹿子指给群臣说：“这是马！”群臣也说：“这是马！”

圣旨是万能的。于是阿Q由姓赵而至茫然，鹿子忽而成了马。文坛上也是有皇帝的。皇帝的周围有不少的臣仆，闲的时候来帮闲，忙的时候来帮忙，行凶的时候来帮凶。在帮着的时候，或作打诨的高手，或作卫道的夫子，或作恶辣的谋士，打诨的装鬼脸，卫道的装正经，策画的施毒计。总之，以鬼脸、正经、毒计等为武器，以皇帝的存在这一个题目为前提，做出种种的文饰。但是“一个题目，做来做去，文章是要做完的，如果再要出新花样，那就使人会觉得不是人话”了。

中国文坛上就有不少不像人话的文章出现，这是有人不准通，有人不敢通、不愿通的缘故。怎么办呢？也有两条路可走：“头等聪明人不谈这些，就成了为艺术的艺术家，次等聪明人竭力用种种方法，来粉饰这不通，就成了民族主义文学者。”这就是鲁迅所执拗地批判了的遵命文学，但所遵者是没落者的命令，又是自己所不愿意遵奉的命令。

为艺术而艺术者自以为是公正无私、不偏不倚的第三种人，所做的是阶级之外的为将来的永久的文艺。然而这样的文艺实际上是没有的。所以第三种人都搁笔了，但又说他们的搁笔是左翼的无理批评使他们要做而不敢。然而后来确也有了一条张献忠式的量人长短的绳，使他们量得不长不短，是最适应于他们生存的东西。可是也没有第三种笔出现。至于他们的批评是："道"是没有是非的。然而世事怎能说是没有是非呢？于是第三种人都装糊涂了。但也只有乔装一下而已，其实也固执着什么：例如孔孟加佛家的报应说，就是道德；晦涩辞华秾艳的作品就是新文学；分明也并不糊涂，因为并非不立己见。更高妙的是说：是中有非，非中有是，而非中的是，又胜于似是的非；也分明有是也有非。其实这种高尚道德早已有人加以发挥了。明人张岱，曾以并不自立意见，为作史的极境。这似乎是很冠冕堂皇的。但一论东林党人，又说："东林首事者实多君子，窜入者不无小人，拥戴者皆为小人，招徕者亦有君子。"东林党人不一定都好，因为党人里也有小人，反东林党人不一定都坏，因为他们之中，也有正士。好的说好，坏的说坏，仿佛是很公平，很细密的，但这样的议论，只苛求君子，宽容小人，这种人自以为明察秋毫，而其实则反助小人张目。

严复曾引过《论语》的“君子不党”，而斥责同盟会和古时的所谓党人，“其始由于意气之私，其继成为报复之势，其终则君子败而小人胜，而国亦随亡”（《论中国之分党》）。但严复本人，却是一个帝党。读他的《上皇帝万言书》，所说“臣遍观欧亚二洲之中，其能弭是祸者，独中国而已，而中国之中，独一人而已，则皇帝陛下是也”，这和康有为的“臣故请皇上以俄大彼得之心为心法，以日本明治之政为政法”，实在一模一样，那么，他反对中国人的分党，是有极深的党见了。

没有第三种笔，所以也写不成第三种文学。至于故意找出理由来文饰自己的不通的是所谓民族主义文学家。“黄人之血”是黄人西征俄罗斯的史诗，汉、鞑靼、女真、契丹的联军，真是威风凛凛，杀气腾腾。亚细亚的勇士们，张着吃人的血口，白种人大叫：“黄祸来了！黄祸来了！”然而联军的主帅是蒙古人拔都，即成吉思汗的孙子。俄人未征，中华先降，这是西征所必经的步骤。而后来，日本军阀拟拔都，俄罗斯即苏联，所以拟拔都统率着日、鲜、满、支的联军征俄之前，也先来征服中国，实现西征的第一步。

但赤俄未征，先降中华，使华人都变成了奴隶，再赶他们去打仗，凡活着的中国人，除了几具活尸或凉血动物之外，莫不磨拳擦掌，义愤填胸，要摆脱奴隶的地位。但这悲愤对于将来的西征是大有妨碍的，于是黄震遐的《大上海的毁灭》里又写出了国难的不可抗性的理由，叫大家平心静气的去做奴隶。他的国难不可抗的逻辑是：日本不可不抵抗一下，但抗日是没有得胜的希望的；我们被注定了苦命，所以也被注定了要失败。“打是一定要打的，然而切不可打胜，而打死也不好，不多不少刚刚适宜的办法是失败。”这用意很明白，正是失败主义者的宣言。但如果还有顽强的人，不明白这微言大义，这又怎么办呢？也有办法，给他吃一点苦头，即教他尝尝辣椒的滋味。辣椒是在给人一辣而不死的，辣他一下子，这是“制止他讨厌的哭声，静候着拔都元帅”。这又名辣椒救国，也是被提倡过的文学。

一九三二年以后几年，幽默一时风行了全国。《论语》、《人间世》，开口幽默，闭口幽默，这人是幽默家，那人也是幽默家。本来幽默不一定要加以排斥的，鲁迅的作品就很富于幽默的因素。他还颂扬过萧伯纳，用了列维它夫的话，说萧是伟大的感叹号。因为萧使绅士淑女们登场，撕掉了他们的假面具，指给大家，说："看哪，这是蛆虫！"使他们无法掩避，露出原形，所以萧和下等人相近，而也就和上等人相远。但他又竭力反对中国的幽默，以为中国并没有幽默，只有笑话。金圣叹是被杀了的，临死时相传还说着："杀头，至痛也，而圣叹以无意得之，大奇！"这是笑话，并非幽默，因为这话说明着金圣叹并非反抗者，只在开玩笑，使大家哈哈一下子，完事。又有人，如林语堂，自己扮演四个不同的脚色，一个是生，三个是丑，用小丑来衬托，使小生成为一表非凡的人，也同样是笑话，不是幽默，因为这三个丑角是扮演者自作的怪状，和被画的人，是并没有关系的。而且在中国，也难以幽默。本来笑笑也不犯法的，但喜怒哀乐是人的常情，能笑，也就能怒、能哀、能乐，那就要闹乱子了，所以皇帝不肯笑，奴隶是不准笑的，何况还要大家做正经文章，装正经脸孔呢。

在风沙扑面、狼虎成群的时候，必须挣扎和战斗，所以有生命的小品文，是匕首和投枪。虽然也讥刺、辱骂，但必要嬉笑怒骂，皆成文章，并且还能使人愉快和休息，这才是小品文的生路。

三　革命文艺家

中国新文艺，首先是由知识青年觉悟到自己的先驱者的使命而倡导的。因为：第一，工农历来只被压迫被榨取，连识字教育的机会也没有；第二，中国象形文字，使普通中国人即使读书十年，也还不能自由发表自己的意见。这现象使某些御用的批评家喜欢，以为文艺是少数人的专利品，和大多数人不相干；又使他们疑惧，以为现代社会有机会读书，能写文章，能翻译的，至少一定是小有资财的人，他们不守着自己的财产，反而倾向于工农，一定是虚伪、投机、可恶、可恨。在世纪末，如果有怀着贰心的人，是一定为社会所不容。为要铲除异阶级，铲除本阶级中的异端，于是对于革命的诬蔑、压迫、囚禁和杀戮，鲁迅说这就是“更好的文艺”。

有人问：为什么小资产阶级投身于革命文艺运动呢？他们是真心还是虚伪呢？当鲁迅辩护萧伯纳的矛盾的时候，对于这问题给了肯定的回答。他以为在崩溃中的旧社会里，使爱真理爱光明的小资产阶级投向革命，他们利用自己的种种可能，赞助革命的成功。在中国，他们所能利用这种种可能之一，正是他们能运用祖宗留给我们的难以运用的遗产——象形文字。

但某些人偏以为萧伯纳是“借主义，成大名”，于是忠告他，要做社会主义的忠实信徒，就先散尽了家产再说话。如果财产不先散尽，又怎么办呢？则恭请英国皇帝下令没收。然而这还是宽容的处分，因为这使萧还可以苟延性命于乱世。但对于中国的作家们，就只有抄家杀头，使他们人财两空，连性命也保不住了。

有人又问：投身于革命文学的知识者，是否都是革命的战士？这有两种相反的答案：可有工人阶级的战士或朋友，也可有连续转向的所谓革命文学家。鲁迅出身于小资产阶级，对于这阶级的本性，看得最透彻。在革命进行之中：“有人退伍，有人落荒，有人颓唐，有人叛变。”所以对于某些善于豹变的人，以为他们的变卦是当然的事。因为无原则的转向，原是小资产阶级最容易犯的病根。向左转的时候，摆出极凶恶的左倾的脸孔，例如叶某，曾写过革命家每次上茅厕，必用《呐喊》去揩屁股，又画过鲁迅躲在酒坛的后面。超于《呐喊》，远去酒坛，当然是最彻底的革命文学家了。又如向某，曾经说过青年人不但要叫喊，还要露出狼牙来，自然也是很革命的文士了。但后来呢，一个忽而躲在民族主义文学家的屁股后面，一个又提倡为人类的艺术，又把人类分为好坏两种，对好的加以恭维，对坏的加以叫咬了。最“透底”的是杨某，忽而极左，忽而彷徨，忽而极右，左的时候，雄纠纠出阵，彷徨着的时候，躲躲闪闪，右的时候，又到处咬人。

两极端是相通的，最激烈的也容易变为最颓废的，甚至于为最反动的，所以由极左而极右，由左得可爱到右得可憎，是常见的事。其实在沙笼里高谈革命，怎样激烈也可以的。在革命咖啡店里“或则高谈，或则沉思”，这里的革命论，怎样冠冕堂皇也可以的。这些人的本相不是今日左得可爱的革命家，而是明日右得可憎的探子。

至于由革命而颓唐而自杀的，也曾有过不少的前例。因为来试炼他们的是实实在在的革命，革命以前的幻想一被打碎，人也就活不下去了。这些人的收场，不是在空叫革命的时候，活得如何威风，而是他们经不起试炼而活不下去的时候，死得怎样可怜。

所以鲁迅曾经指摘过，革命文艺家为要防止自己连续的走极端，第一，就必须和阶级斗争相接触，必须了解实际的革命。诗人的理想是有趣的、浪漫的，而革命的实际是痛苦的、麻烦的；革命是破坏的，又是建设的。"手执钢刀九十九，杀尽胡儿方罢手"，这只是诗。而绑票、逮捕、鼻子里灌辣椒水、电刑，才真正是革命的实际。破坏，除了革命的破坏外，又有寇盗式的破坏和奴才式的破坏：想借破坏来据天下为己有的是前一种，想借破坏来占些小便宜的是后一种。志在天下者，在豪取，志在小利者，在偷窃，结果都给大物一个创伤，使社会只留下一片瓦砾，或破坏者与被破坏者都一同灭亡。其实破坏是为着建设，破坏旧的，建设新的，所以对于革命只抱着美丽的幻想，只求痛快于一时的人，革命一来，他们也成为"大潮流冲击圈外"的可怜者了。

第二,革命文艺家必须知道他们并非“高于一切人”,文艺家要高于一切人，这是不正确而且是危险的。自然并非高于一切人，也并非低于一切人，所说的并不是文艺家的人格。文艺家要有高尚的人格，更要有进步的思想，这是自明的事。所谓并非高于一切人，是说文学家并非最高贵的人，将来革命成功之后，要享受特别的待遇和更大的名声，这不会有这种便宜的事，不但特别的报酬和例外的优待不会有，怕比原来还要苦。有了这样的侥幸心的人，一旦和革命接触，见了有些地方的老头儿并不像老太爷的模样，又联想到自己的老子的将来，对于革命怀疑起来，就又改做“孝子”去了。一个激烈的革命文学家忽而改变为孝子,大概是得了新的启示罢。至于以其他美名，或是“人道”，或是“觉悟”，走出革命，都是不用文学来助成革命，反而使革命助成他的名位的革命贩子的惯技。买空者一定是卖空者。“万不可去做空头文学家或美术家”，这是鲁迅遗嘱里面的一条，这十几个字不仅是“留赠我们的孩子”而已。

第三，革命文学家必须专，更须韧。专是有恒，韧是持久,即事业要有恒性,战斗要有韧性。出了几个题目,印了几本文集，译了一两本书，写了几篇文章，编了几期刊物，自以为立了空前绝后的大勋业，做定了革命文学家，这不行的。用文学来沽名钓利，功成名遂了，和文学的距离也就远起来。做文学家的时候，已经心猿意马，目的一到手，这器具也脱手，不达目的，那可更无用了。这是吃文学饭者，上天梯者，相反的做法是：翻译者专翻译，写作者专写作，批评家专批评。

韧是一种战法，作战的时候有时要伏在战壕里，因为四面八方有暗箭，挺身而出的战士容易丧命。许褚赤膊上阵，中了好几箭，只得"谁叫你赤膊"的讥评。所以战士上阵，必须留几片铁甲在身上。钢马甲、铁甲车、坦克车，是高等人的甲胄，而这些人偏偏嘲笑有点自卫的下等人："你敢出来！出来！躲在背后说风凉话不算好汉！"这是激将法，使你学许褚。张子房击秦始皇于博浪沙中，后世传为壮烈的史事，那么，依君子们看来，子房应该写信给秦始皇，要求两人赤膊决斗，才算是英雄了。其实谁的胆小，谁的胆大？谁负责任，谁不负责任？君子之徒又说："只要看鲁迅至今还活着，就足见不是一个什么好人。"这大概以为鲁迅是敕准或默许的存在，使他们摇头罢。这毒计不只激你上阵，而且激你上阵求死，所以鲁迅的回答是：“名列于该杀之林则可，悬梁服药，是不来的。”

四　文艺批评

对于有些国民党御用批评家的批评，鲁迅曾经嬉笑怒骂地加以讽刺过。他说中国虽然是不平等的古国，但这些批评家却又迷信平等。他们有一张希腊神话里所说的恶鬼的床，只要你一露头角，他就来截平你的头了。截平的方法很多，因此批评家也有各种各样。

有的所谓批评家见了新的作者，一开口就骂道：“唉，幼稚得很。中国要有天才！”专在新苗的地上驰骋，选着幼弱的地方去冲，当然是取胜的快举，但遇害的正是新苗。如果所有的新苗都被践踏而死，当然没有花果，更没有乔木，只可惜这些是不平家、慷慨家，不是批评家。

又有第二种批评家。这种人的面孔，不是威风凛凛，慷慨激昂，而是痛哭流涕，摇头摆脑。他们在道德的氛围中锻炼成了一种特别的感觉，既敏感而又衰弱。见一封信，当作情书，闻一声笑，疑是怀春。有时又训诫人说：你对人敢傲慢无礼吗？你不见魏国嵇康横死的故事吗？所以凡事必须随和、圆通，不可固执己见。然而这一类人并不是批评家，只是道德家或恐吓家。

第三种批评家更神妙了。他们有时则自轻自贱，把论敌骂了一场，又说自己并不是批评家。假使自己的缺点被人揭发了，那时又说他原是批评他的人的模仿者，堵住你的嘴。有时则又自称自赞，说自己是中国的文豪，或是自己用别的笔名来加以吹嘘，或是请同派的人来加以恭维。但不论他们现出那一副面孔，也都是一流人，就是和他们有渊源或想有渊源的，笔下就笑嘻嘻，判断起来，真理也一定在这一面。和他们无渊源或渊源不同的，笔下就雄纠纠，一开口，真理就一定不在这一面。于是批评只是互相标榜，互相排击，所以这些人其实是胡评家、捣乱家。

拿笔的人扭在一起，拿算盘的商贾为生意起见，也就起而越俎代庖，何况是在金钱万能的社会呢！于是“商定”的批评就来补“行帮定”的批评的不足了。行定一批文豪，商定一批文豪，而行与行之间，商与商之间，又彼此纠缠起来，批评界如此劳碌，于是行定商定以外的作品，都一概被抹煞了。文坛既已如此乌烟瘴气，所以鲁迅劝青年作者们对于这种批评家，大可不必去管，或者可以多留心看外国的有见识的批评家的评论，至于他自己每次写小说，总是不理这样的批评的。

他这意思并非说文坛不要批评家，批评家是需要的。我们所需要的是对于社会科学和文艺理论有真正修养的批评家。这样的批评家对于作品，必须坏的说坏，好的说好，并且指摘坏的，奖励好的。

坏的说坏，好的说好，坏的要指摘，好的要奖励，这才是明白而坚实的文艺批评。但批评家怎样去辨别作品的好坏或较好较坏而加以批判或奖励呢？他希望于批评家至少必备三个条件。第一，批评家必须没有病态；第二，必须有常识；第三，必须就事论事。病态就是有特种嗜好：喝醉了酒，患着热病，有神经病，挟夙嫌，想赖债之类。批评的常识就是要知道裸体画和春画的区别，接吻和性交的区别，尸体解剖和戮尸的区别，出洋留学和放诸四夷的区别之类。身体患着贵恙，连常识也没有，自然也没有批评的资格了。可是批评的本身还是就事论事。离开批评的本题，说些批评以外的废话，例如不批评厨子的菜做的好坏，反怪他不去做裁缝或造房子,如此一来,即使最低能的厨子也会说这位贵客是“痰迷心窍”的人了。

可惜痰迷心窍的批评家也并不少，中国不是很有些只热中于输入名词，而并不知道这名词的涵义的人们吗？于是大家都有一个招牌,不是主义——如表现主义、浪漫主义、古典主义、未来主义等，就是人物——如白壁德、泰戈尔、曼殊裴尔、杜威、罗素等。大家都急于事功，甚至连匾额尚未挂起，就雄纠纠的比起眼力来，那么，除了无谓的无边际的争论之外还有什么？鲁迅常为翻译辩护，提倡吃烂苹果的方法，又主张青年人多看外国书，就是针对着此种病态而发的。

至于各批评家所用的尺，更不胜枚举。英国、美国、德国、俄国、日本、中国的尺子都有，用日本尺来量中国布，用德国尺来量英国布，或用英国尺来量俄国布，弄得牛头不对马嘴。所以批评家必须就事论事。但就事论事也还有一面和全面的论法。中国不是有过选文家的人评和摘句家的诗论吗？如蔡邕，选家都说他是典重文章的作手，只取他的碑文，但一读他的《述行赋》，也还是一个有血性的人。又如陶渊明，选文家只拾一句“采菊东篱下，悠然见南山”，以为他是飘飘然的神仙，但他还有“刑天舞干戚，猛志固常在”的诗句，也不免是怒目金刚。还有，摘句家摘取了钱起的“曲终人不见，江上数峰青”一句，推为诗美的极致，于是踢开他的全文，又用这两句来推断作者的全人，这就是以割裂为真美，以片面代全体的论法。

世间有所谓“就事论事”的办法，现在就诗论诗，或者也可以说是无碍的罢。不过我总以为倘要论文，最好是顾及全篇，并且顾及作者的全人，以及他所处的社会状态，这才较为确凿。要不然，是很容易近乎说梦的。但我也并非反对说梦，我只主张听者心里明白所听的是说梦，这和我劝那些认真的读者不要专凭选本和标点本为法宝来研究文学的意思，大致并无不同。自己放出眼光看过较多的作品，就知道历来的伟大的作者，是没有一个“浑身是‘静穆'"的。陶渊明正因为并非"浑身是'静穆'，所以他伟大"。现在之所以往往被尊为"静穆"，是因为他被选文家和摘句家所缩小，凌迟了。

——《且介亭杂文二集·"题未定"草·七》

知人论事，衡文评诗，必须顾及全篇和全人，还须知道作者所处的社会状态，这是鲁迅的文学评论的精华。还有为减轻批评家的偏见起见，印集子，本人的文字，固然要全部辑录，就是和本人有关的一切文字，也须收辑来作附录。正反两面的议论，都收辑印行，后世评人论事，就能分辨明暗，识别人鬼，也能衡量轻重，鉴别是非的了。

五　团圆主义

中国有一句奚落人的话：无病呻吟。没有病而偏于呻吟起来，可见这人的虚伪、装假、不诚实，所以叫这些假装病态的人作无病呻吟党。有人也曾用这绰号来骂过鲁迅，这大概因为鲁迅写过头发，写过胡须，写过牙齿的缘故罢，正人君子之流，以为这样一直说下去，说到屁股，这就和上海的《晶报》一样无聊，写什么《太阳晒屁股赋》了。然而自家有病自家知，这是最明白的事，其实无病，谁要来呻吟，一呻吟，就有缘故，所以虽曰呻吟，却不是无病。

但正人君子们又说：头发有什么可说呢？他的回答是，这是北京高等女子师范学校某小姐的事。她是剪了头发的，蓬蓬松松的在北京道上走，可是校长已是秃头了，偏以为女子须有长头发，示意要她留着，疏通过几回，也没有效果，使他不觉感叹起来。而他自己也曾为辫子所苦，他的辫子是在日本剪掉了的，宣统初年回国，一到上海就装假辫子。后来索性不装了。但没有辫子在马路上走，人们或者冷笑、讥骂，或者说是偷女人，辫子被剪了，甚至说是二毛子，“里通外国的人”。回到故乡绍兴中学做学监，更要提防满人绍兴知府的眼睛，他每次来学校总喜欢注视着他的短头发。这愤懑直到辛亥革命以后，然后大舒；所以他说民国革命给他的好处，只是剪辫子。

说胡须也是有缘故的。本来一个人的有无胡须，胡须的样式长短如何，完全是个人的事情，别人无须过问。可是有些人偏不由你有这种自由。这也是宣统年间的事，鲁迅留着向上翘起的胡子，由日本回到故乡来，首先是船夫说他是日本人。国学家又质问他为什么学日本人的样子，有背于国粹。后来不把胡子向上翘而听其自然，胡子的两端显出毗心现象来了，国粹家才不说话。但胡子的拖下，又招了革命家的非议。民国以后，才悟出了胡子受谤的原因，全在两边的尖端上，于是把胡子剪成一平，不上翘，也难拖下，这样才堵住人们的评论。

说牙齿也因为牙齿发生了问题的缘故。民国十四年十月二十七日，北京民众主张关税自主，举行游行示威，和军警冲突。而次日各报竟载鲁迅的门牙被打落了两个。他的门牙确是落了两个，但时日不是在民国十四年，十一年前已经落了。那年的秋天，他奉命做祭孔的执事，礼毕回家，在路上，糊涂的车夫跌倒了，他从车上摔出，手又插在衣袋里，来不及抵按，结果是两个门牙被碰碎了。门牙两个，并不是被打落，而是被碰落。一个人做事说话，都要真实，所以他又说到牙齿的事来了。

其实不正视现实，凭着主观去虚构，是写不出东西来的。《幸福的家庭》中的作者，是最好的例子。这小说的副题名曰《拟许钦文》,即是记述许钦文的创作经验。作者为着捞几文稿费，维持生活，而自拟题目:《幸福的家庭》。家庭的所在地叫作A地，家庭中只有主人和主妇。然而现实和写作是完全不一致的，所以一面作者正在推敲着幸福的家庭的主人和主妇的履历、衣服、头发、牙齿以及同居条约之类，一面又听到自己的主妇同卖柴的人正在争着木柴是二十五斤还是二十二斤半；一面作者思索着主人主妇吃的龙虎斗是蛇和猫还是蛙和鳝鱼，一面又看见自己书架上有一堆垒成A字形的白菜；一面作者虚拟着主妇敲门进来说情话或什么之类，一面又听见他的老婆打那推翻了油灯的女儿的声音:“拍。”写作和现实既是这么不调和，自然作品也不像太阳的光一样，从无数的光源中涌出来，那作品也不是真艺术，作者也不是真的艺术家。并且那作品终于写不成。他走出来，抱着他的女儿进房，做猫洗脸的引她笑，她果然笑了，脸上还挂着眼泪，于是连忙抓起那写着题目的原稿纸来，揉了几揉，又展开来拭去了她的眼泪和鼻涕，又把这纸抛在纸篓里去了。

这虽然是一篇游戏的小品，而主题却非常严肃，表示了作者对于现实的根本态度。鲁迅是清醒的现实主义者，他觉得必须敢于正视，这才可望敢想、敢说、敢做、敢当，不敢正视，自然也不知不觉，闭上眼睛去胡思乱想了。例如中国的旧婚姻，谁也知道不合理，而有的作家却写出什么才子佳人小说，才子壁上题诗，佳人唱和，于是私订白头。但订约之后，又有难关，幸而有救，才子及第，奉旨成婚。旧的婚姻，经文人一瞒，问题一点也没有了，因为有了补救。还有明初忠臣铁铉，是被油炸死了的，他的两个女儿还发付了教坊（妓寮），要她们做婊子。而后代文人不舒服，以为好人要有好报，于是伪造二女献诗于原问官，被皇帝所闻，赦出来，嫁给士人了。这自欺欺人的虚构，其实只是歌颂升平，粉饰黑暗，使人们发生了天皇毕竟圣明，好人终得善报这么一种团圆的梦而已。

瞒不住的史实，又来设骗局。秦桧杀岳飞是前世已造夙因，关羽的被杀，死者后来成神，凡事都有报应，善有善报，恶有恶报，于是杀人者无罪，被杀者也无憾了。还有续《红楼梦》的人，把贾家的悲剧来改观，或说借尸还魂，或说冥中另配，必使生旦当场团圆，叫人看不出社会真有什么缺陷。

在新文学作品里，也有的中了这样的毒。譬如写娼妓,就使她上场说:我再不怕黑暗了。写偷儿又要他说道:我要反抗去。总之，编排一个突变的革命英雄，而自以为革命文学，这是和穷书生落难，终于中了状元的老调，完全一致。

其实岂独文学，几乎所有文字的记录，都为这种观念所左右，所以中国文献中最有价值的故实不在正史而在野史杂说和好的文学作品里面。因为这个缘故，鲁迅以为读历史要从宋明人或今人的野史笔记里用功，因而主张选宋明和现代的野史笔记来翻印。对于清初的删改古书的内容更表示了极大的愤懑。后来涂改古书的阴谋到宋元版本的出现而露了马脚,又认为是大舒愤懑的事。

六　文字革命

文字革命是中国文学革命的根本任务。“五四”时代所提倡的白话的文学和文学的白话，即提倡用白话写作，写成白话文学，是一面鲜明的旗子，也是当时每个革命先驱者的战斗使命。鲁迅的作品是和这个步调完全一致的。当时反对新文学运动的劲敌林琴南曾说倡导文学革命是媚世，白话是引车卖浆之流所操的话，南北新旧国学家从而附和者很不少。鲁迅是从实用的观点上，来反对死文字文言的，以为古文是古人的话，古人说自己的话，那是当然的事，但现在说话的既是同时的人，也当然要说现代的话，无须用古典了。他还嘲笑世上文人雅士，讲的也依然是引车卖浆之流的话，并不如君子国的酒保所说的“酒要一壶乎？两壶乎？菜要一碟乎？两碟乎？”那么古雅，也不像俄国贵族，因为鄙视俄国工人，在宫廷里说法语，不说俄语，表示他们是超人一等。现代人说古时话，这些人是“现在的屠杀者”，但杀了现在也就杀了将来，所以也是“将来的屠杀者”。

为了现在和将来的时代，他诅咒一切现代的屠夫。“只要对于白话来加以谋害者，都应该灭亡！”文字原是表情达意的工具，然而中国人要继承着祖先遗留下来的遗产——文言或汉字，连识字教育的机会也得不到的工农不必说，普通读书人要学会运用汉字，尤其已死的文言，非下十年苦工不可。正因为文字难，有些人就当它作专利品，留着这一手了。例如写“秦始皇乃始焚书”，不大雅，也并不难懂，一定要写成“政俶燔典”。总之，做文的秘诀是朦胧、难懂、无真意、无内容，把古董当作宝贝，使大家隔离起来。

改革者常说打死鬼，但死鬼并不易打，佐证是缠过足的人，即使解放了，也再不是天足了。然而还有人说，要做好的白话文，必须熟读古文，这使鲁迅大吃一惊，因为他正读过古书，背着了这个鬼魂，不知不觉中，在所做的白话上，常用成语，结果使文艺和大众相隔离。因此他虽然相信白话只是新的语言的桥梁，相信进化上有所谓中间物，但也竭力主张文字要接近于口语，以活人的嘴巴为源泉，做到语言文字的一致。

民国十六年他在香港讲演，以“无声的中国”为题，说中国因为用的是难懂的古文，讲的是陈旧的思想，人虽然有的，但没有声音，所以中国也只有两条路可走：一是“抱着古文而死掉”，二是“舍掉古文而生存”。

这样看来，说中国没有文字，大体上是不为过的。因为全国识字的人，不满百分之二十，汉字和人们的关系，也可想而知了。所以文字革命的最终目的，就是使文字为大众所有。清末的创办白话报，民元的推广注音字母，民八的提倡白话文，民二二的推行大众语，都是为了使文字和人民相结合，除去阻碍传播知识的工具，但都未触着问题的核心。因为提倡文字革命，又还保存汉字——方块字——其彻底性是依然有限度的，要想真的使笔头字和口头语一致，使中国人易于学习表情达意的工具，则非废止汉字用拼音字不可，这是他的文字革命的根本见解。为什么？例如文言的“此生或彼生”，比它的白译“这一个学生或那一个学生”，确是简洁了，但又笼统、含糊，因为这可有两种完全不同的意思，其一，说“这个秀才或那个秀才”，可以的；其二，说“这一世和未来的别一世”，也可以的。可见我们读文言，不但不能增长知识，并且还靠我们的知识去下注解，待到译成完全的白话，才看懂了。还有“大雪纷飞”一句，要写成“大雪一片一片纷纷的下着”，这多么累赘，不简要，且没有神韵；但语文并不是文言的直译，《水浒传》里有“那雪正下得紧”一句，颇能达出这个意思，并且也接近于大众语，这句比“大雪纷飞”多两个字，但那神韵却好得多了。

其实大众语和汉字，严格的说是不两立的。每一个汉字，都有这字本来的意思，用来写口头语、各地方言，有的还用这字的原义，这又有两种：或一字一义，例如“我”；或几个字合成一义，例如“民权主义”。有的只不过借来做一个音符而已，例如“逻辑”、“瓦斯”。人们读下去，必须分辨那几个是用义，那几个是借音，这么做起来，惯了还不打紧，但开手却非常吃力。所以鲁迅主张只有两条道路任我们选择，其中的一条：“为汉字而牺牲我们，还是为我们而牺牲汉字。”

他所说牺牲汉字这一条路，是指书法的拉丁化。他的《门外文谈》是中国文字革命史上一篇极有价值的文献，这里面解答了拉丁化怎样着手的问题，即拼音先用普通话还是土话。这是一个先决问题。他的看法是先用土话来拼，由各地方各用自己的方言。因为汉字本来没有几个人懂得，所以没有新的害处；但方言土语一普遍，倒使很多人都可以用文字来抒情表意，这是新的益处。还有一层，语文的发展，一方面固然要专化，更加提炼地方成语，发展新典，他方面也要普遍化，逐渐加入一般语汇和语法。而且中国语言极为幼稚贫乏，还没有脱离姿势语的程度，医治的方法，还须采用各种语法，古文、外国语文都有用处。待到有一种出于自然而又加上人工的话一流行，我们的现代的中国话就大体成立了。

第六章　作品和鉴赏

一　主题

新文学史上有过一段这样的事，就是小说《玉君》的作者杨振声，以为小说家只说假话，和说真话的历史家完全不同。他用了这小说家要忠实于主观的文艺见解，写成中篇小说《玉君》，并且还请教于朋友们删改了好几回。那么，《玉君》无疑是虚构的幻影了。然而杜撰并不能作为写小说的规范的，所以她的降生同时也就是死亡，因为这作者从此再没有作品问世了。

鲁迅也说过他的小说和艺术的距离。例如《呐喊》的《药》里，在瑜儿的坟上，故意添上一个花环，又不写单四嫂子在梦中看见她自己的儿子。不应有的硬添上去，应有的故意瞒住，以为是文学的曲笔，使作品和艺术发生了距离，因而他认为作家们“直说自己所本有的内容”才是中国新文艺的出路。

这样看来，文艺就是一面社会的镜子，因为作家在作品里把自己所见闻的世界如实地写出，这恰如一面明镜的反照自然景物，是同样的。

英国文豪萧伯纳一九三三年的游历上海，是颇哄动一时的事。各种类型的人都来访问，但各人又都怀着各自的希望。对于萧的说话，分明知道并不悉如己意，却又大加取舍，听取自己所愿意接受的一部分。但不论那一种，或是由自己的希望来希望于萧，或是只取了萧所说的有益于自己的话，都因了萧才出现的，所以萧是一面明镜。

以作者比喻于明镜，这是唯物论的见解，因为这比喻含有主客两者的关系，即一面是感觉者，一面是被感觉者。前者有各种感觉的可能性，如五官四肢之类，后者对于前者又有各种感应的因缘。这被感觉被描写的对象，就是文学上的模特儿。

《红楼梦》是中国小说的名作，早已有定评了。曹雪芹的写贾宝玉和十二个女子，是有所本的。这书的篇首所述那个忏悔自己一技无成、潦倒半生的“我”，就是曹雪芹自己，也即宝玉的模特儿。所以书中所记的事，所写的人，全是他自己在半生中所见闻的，因此以这书为作者的自叙传、忏悔录，也无不可。被人埋没了很久，近年才被考证出来为蒲松龄所作的《醒世姻缘》，也是以女人问题——怕老婆的故事——为主题的。蒲松龄的写惧内经，是从他的朋友王鹿瞻的家事和他嫂子的事迹中取材的，所以篇中的狄希陈，就是王鹿瞻的影子，而薛素姐却不妨说是王家的夫人和蒲家的大嫂的化身了。于是蒲氏先把这些经历写在《聊斋》上，随后又写成戏曲，到最后才创造了这部百万言的长篇小说。

鲁迅也说过他所写的小说，都是自己见过或听过的事，甚至于有些影像，在他的脑中，留下了好几年。所以有人问小说要怎样才写得好，他就劝人留心着社会的各种事情，必须有可写的东西才下笔去写，至于有些题材，即使观点不正确，而材料却熟悉的，如实地写出，也还有用处。这都是用唯物论的观点来处理小说题材的。

但人和镜并不完全相同，用作一个比喻，是无妨的，但在这二者之间划一等号，那就划不对了。因为人毕竟是人，镜毕竟是镜，这是很明白的事。从本质上看来，一是活的，一是死的，一是有机的，一是无机的。从取材上看来，用镜子去摄影，被摄的对象虽然整个儿都现出，但所摄的依然是事物的外形。在作品里用某人或各种人来作典型，都必经过作者的取舍，删除枝叶，保留精华，所取的虽然并非全体而只是部分，但写出来就不是平面的，而是立体的，不但是他的外形，而且还有他的肺腑了。这不同的关键，就在这里。

文学既是以外界为对象，以实有为题材，那么作者要描写现实就必须熟悉现实。当左翼作家联盟成立的时候，鲁迅指示过作家们必须和现实生活相接触，并且肯定了游离于现实的人们，极容易由左倾而右倾。这一点对于左翼作家是最好的针砭。因为革命文学是小资产阶级知识分子意识到前驱的使命，而首先所倡导的运动。但是他们的生活经验是只能够写出暴露的作品。他们对于所憎恶的社会有深刻的了解，反戈一击，自然易中要害。然而这只是憎恶或失望，并不是要推翻这样的社会，更看不到历史的远景，虽然对于现象是熟悉的，但观点却并不正确，作品仅是一粒泡沫，却不是一块石材，是有用的，但并不永久。因此作家如果不是自己满足，要改造自己的生活和思想，那么就必须和现实社会接触，即“和革命共同着生命，或深切地感受着革命的脉搏”。但有的文学者往往有一种成见，就是只注重革命这一面的问题，和这距离越远，也就越加隔膜。只留心着自己这一面，而不知敌对者那一面的事情，其结果不是自然而然的养成一种狭窄的眼界，就是在暗中摸索。还有一点，只注意大的事情或冠冕堂皇的大文，至于新闻、通电、广告、告示之类的文字，以为是无关宏旨，不足观了。其实有时一条新闻记事的价值，并不小于一篇大文。曾经有过这么两件事，是鲁迅所特别注意的，其一，民国十六年香港人士热烈恭祝孔圣诞节，而同日香港孔圣会又公演粤剧“风流皇后”以助庆。其二，南京市民为避开孙陵合口时小童的灵魂被摄去的危险，每家小童臂上都佩有红布，写着“叫人叫不着，自己顶石坟”的歌诀。虽然是很平常的事，但由此可见圣徒们对于卫道的虚假，以及市民对于南京政府的感情和关系，并且用了作题材，写成了有力的社会评论。

还有一层，也是他所注重的，只有认识革命的实际，作家的眼光才能放大，描写的题材才能推广，不再蹈古小说的陷阱，以特别的人们如名将、高士、侠客、赃官、神仙、妖怪、英雄、美人为主角，而以常人为对象，使文学从富人醉饱之后的消遣品脱出，而为广大群众的启蒙利器。

这里我们来回忆早期革命文学运动中的作品问题，是很有意思的。

梁实秋曾要求过左翼拿出货色来，当时有人出来辩解，说这是一种无理的要求，是恶意。但鲁迅却认为这话为工农而说是不错的，因为他们还不能用文字来自由发表意见，但那时左翼作家都是知识分子，有的还是有名的文士，却不能以此为例。于是就来了一个问题，为什么那时左翼作家写不出好的作品，只有纸上的宣传，而没有真正的文学果实呢？这一点鲁迅归根于当时在无产文艺之下，聚集了不少借阶级斗争为武器的人，以为有了这招牌就可以互相吹嘘，作者一旦转向，旧作也即飞升，无不革命，于是文学者就不必出力，不肯用功，因而现出这空虚状态来了。

二　方法

文学作者既然要从外界的事物中摘取可写的对象，即在典型的环境中描写典型的性格，那么，这就和思惟作用有关了。因为没有经过思惟的作用，凡所写的，即使都是见闻过的，结果，不是只限于外形，就是流于观照。

但是社会现象很复杂，这和人体上包裹着人造的衣裳，不容易窥见底里，是一样的。有时候简直等于看《推背图》，正面文章必须从反面去看。鲁迅引过两句咏辛亥革命的诗，是一个例。

手执钢刀九十九，杀尽胡儿方罢手。

他说这是反语的预言诗。后来有洋枪大炮的到底战胜，而执钢刀者终于失败。至于胡儿，不但未被杀尽，并且还有余孽做过满洲国的皇帝。可见事情有时是要从反面去看的了。

又如昼与夜，一表光明，一表黑暗，是这样或那样，一目了然。但也不一定完全如此，有时倒是相反。在光天化日之下，映在人们眼中的超然、平正、和睦的人情，在黑夜里，往往是乞怜、诬蔑、捣乱的鬼相，所以真实要在夜里去看，而白昼则反过来是装饰着人间的黑暗了。

其实有这么一个简单的格式，也并不难。为难的是事情似乎这样，而其实那样，似乎不那样，其实又那样，也有有时这样就是这样的。所以诗人的诗句，到了几十年后还应验，也是有的。

> 此辈封狼从瘈狗，生平猎人如猎兽。
> 万人一怒不可回，今看太白悬其首。

自己本来是狗，到处乱叫乱咬，偏于说人是畜生。但是万人的愤怒确实是不可挽回了。只可惜还有末一句未应验，因为在革命裁判之前，他已经死了。这是汪精卫的自画像，告诉人们几十年之后才应验的预言。

所以有许多现象，单看表面，是无从理解的。所谓思惟，就是从复杂的现象中，寻出事物的本质。这思惟方法即辩证法。用辩证法去说明一切现象，这与抄袭公式或结论刚好相反。正确的结论或公式诚然不是空洞无物，也有其真实性的。例如关于水性的认识罢，水能淹死人，也能浮起人，这是水性的公式，这公式之所以有真实性，因为水确实有这么两种作用。但只明白这公式，也依然无用的，必须实际用起来，学得运用水性的方法，即能够操纵它浮起人这一种性质。因此所谓识水性，是含有知行合一这种说法的。至于识事物性，也是如此，并非引证公式而是实地去应用。即是："具体地切实地运用科学所求得的公式，去解释每天的新的事实，新的现象。"鲁迅向来反对用公式往一切事物上乱套的错误，以为是新八股之做法，也是根源于此。

所以要寻出现象中的本质，必须运用科学的方法，来解释一切新发生的事物。他是深信这一点的，并且引证了许多史事和经验来说明这个命题。杀人是社会现象之一种，或是屠夫的杀戮，或是革命的裁判，那都有因果的线索可寻。但也有张献忠的杀戮法，不问是非黑白，只是杀、杀、杀，先杀平民，后杀士兵，看来俨然是为杀人而杀人似的。但张献忠的乱杀人，其实也有来历的，就是没落者的一种变态心理。因为李自成进了北京，后来吴三桂又引了清兵入关，他已经逐渐走向末路，自己没有了，于是也放手去屠杀一切，使别人也和自己一同灭亡。既不是自己的东西，即任意去毁掉，使大家拉倒，这就是张献忠的心理。

但杀人法又有种种式式，最惨酷的是剥皮和油炸。现代的文明刑法中，又有电刑，一上去，遍身痛楚欲裂，受过之后，即幸而不死，也从此牙齿动摇，神经麻木了。明朝永乐皇帝的杀戮忠臣的事，见于正史上。在被杀者之中，景清剥皮，铁铉油炸。后来明末就有张献忠学他去剥人的皮，而流风余韵，没有穷期，在民国时代，甚至连土匪也学起来了。但是同一种刑法，所用的人不同，也有不同的意义。暴君的剥人臣的皮，是要压制一切异己者的反抗，因而大张杀戮的能事，而且他们赏玩着感觉灵敏者行刑时的痛楚的表情，而得到特别的欢喜。可是等到这种酷刑推广之后，于是见惯了这刑法的下等人，也学他的样去杀人了。

这样看来，酷刑的发明者，原是暴君酷吏，他们的大施酷刑，是为了防反，但结果，使人见酷而不知其酷，而报应还轮到作俑者的身上。他这么考究起来，其意也无非要使那荼毒生灵的酷刑的责任，由作俑者来负而已。

又如火药和罗盘，本是中国最先所发明的。但输出到外国之后，人家就用火药做炮弹，用罗盘去航海，而中国至今还用火药做爆竹敬神，用罗盘看风水。鸦片在外国是药品之一种，但一到中国人手中就当作饭吃。爱迪生发明了电，是为了增进人们的福利，而我们未用电造福于人群，先用来作刑具——电刑了。同是一物，因国土不同，所用也竟如此天差地远，这因为中国是经济不发达的国家，科学在这国土里没有发芽生长的条件的缘故。但每种东西总有一点用处，就这只好适应着当时的社会，用作麻痹、迷信、享乐的工具了。

根据这种种事实，鲁迅总结他怎样做小说的经验，写道：

> 所写的事迹，大抵有一点见过或听到过的缘由，但决不全用这事实，只是采取一端，加以改造，或生发开去，到足以几乎完全发表我的意思为止。人物的模特儿也是一样，没有专用过一个人，往往嘴在浙江，脸在北京，衣服在山西，是一个拼凑起来的脚色。

他所说的所谓“意思”，即创作的主题，是概括了许多人情事理而成的。但对于这各种事物，又只摘取一端，使许多嘴脸、衣冠、言语、思想、感情，经过思惟的改造，交织起来，成为一个跳跃着的形象。至于怎样去编排去概括描写呢，这必须有丰富的生活经验和有处理这些经验的方法。这是把唯物论和辩证法这两个要素相结合来理解的。

三　阶级性和真实性

现实的描写者是人，而人在现代社会里是某阶级之一分子，所以某人的观念形态大体上总是属于他所属的阶级。我说大体上，意思是说某阶级的任何分子，都受着本阶级的意识的影响。但在解体期的中国社会里，有的原是小资产阶级或资产阶级的作家，背叛了自己的阶级，而加入到工人阶级阵营里，因而获得新的世界观的，也是千真万确的事。其实这点已经是社会科学的常识了，因此，问题的根柢在于阶级与真实的关系，即阶级的意见是否有损于真实，或是什么阶级的观点，才最合乎现实的发展这一点。

文艺史上有过超于政治的为艺术而艺术的一群。姑且不论在欧洲，为艺术而艺术派在发生的时候，是对于中古封建制度的成规的革命，资产阶级反对贵族干涉文艺的一种战术，不但有阶级的关系，而且也是革命的。但在中国，到无产阶级艺术出现的时候，竟有人用着这个神牌来拦住新兴文艺的路，并且倡言超阶级超战斗的永久的文学,却是别有用意的。这些人以为“舌头是扁的，说话是圆的”，所以他们最得意的笔法是自己并无立场，超出于左右之外——此亦一是非，彼亦一是非。其实他们是真的没有立场吗？但又并不如此。因为，第一，他们曾经警告左翼批评家勿侵入文学，要求文艺的自由，但当左翼文学被迫害的时候，却又一声不响，并且参预了这清道的事业了；第二，第三种人都高升了一级，当检查官或大编辑去了。

作家们有了立场又怎么样呢？秀才不出门而知天下事，这是中国历代相传的佳话。在科举时代，士子们读的是“四书五经”，写的是八股文章的理法，读书和做文章是为了想做官。其实不必出门，一旦中了举，功成名遂了，于是修史、衡文、临民、治河、办学校、开煤矿、练新军、造战舰、条陈新政、出洋考察，仿佛什么都能似的。但他们知了天下大事没有？试以鲁迅所批评过的康有为为证。康南海是清末的举人，而且是条陈新政的先觉了。也曾出国游历过，但又忽然起了一个疑问：外国所以常有弑君的事，是什么原因呢？他后来也有了自己的答案，即是外国的宫墙太矮了。总用着秀才们的述而不作的眼光，即使出了门，甚至于出了国门，一件米小的问题也弄得一无是处。

有些更聪明的人，对于他们所视为有害的异端，用了旷古未有的奇策，或者说“什么马克思牛克思”，或者说“世界上没有阶级这东西”。用一句话否定了反对者的存在，最为干脆。又用了张献忠的古典，即在两柱之间，绑一条绳子，来考验所有应试的人，高的杀掉，低的也杀掉，这么来杀尽天下的英才。后来，这古典，具体做起来，是审查原稿、禁止书报、捣毁书店、封闭团体、压迫作者，这么来肃正思想，统一文坛。然而这样做又并不是文艺。其实他们也只有这最好的文艺，因此，除此之外，他们也就宣告了自己是一无所有了。至于在暴政之下的革命文艺，并不从此同归于尽，依然挣扎着、战斗着，而那时就好像在石头底下被压着的植物弯弯曲曲的生长着是一样的。

然而阶级与作品始终是有关系的。说明这一点，只用两部有名白话小说就够了。一部《红楼梦》的结局，在于色即是空、空即是色这八个字，是佛家的出世观。所以本书的主角贾宝玉常读《庄子》和佛书，后来也终于出了家。自然本书的中心是暴露儒教与家族制度的弊害，凡所写的，都有真实，这因为作者是写实的高手，而所经历的事又都有代表意义的缘故，只要如实地写出，就是难得的佳作了。但作者从佛家出世的立场来否定人间的豪华，以空代色，以无代有，这立论又走到另一个极端去了。《水浒传》所写的官吏压迫平民的事，可以归纳为一句话，就是：逼上梁山。全书是用了一百零八个好汉来敷衍这一主题，但作者的立场是二元论的。既揭发了官僚政府的暴政，但又故意避开不写皇帝也是官僚的一伙，而且是官僚政治的尖端，于是使造反者也打着替天（王）行道的旗帜，皇军一到，水浒人马，全体出降，使人读后发生了“若要官，杀人放火受招安”那样的感慨。这是有利于治民者的观念，更足以破坏《水浒》的艺术价值的。

以上云云，好像阶级的立场，损害了文学的真实性似的。曹雪芹与施耐庵的现实主义，在作品上提出了礼教和农民革命的问题，又因了阶级的观点使问题的解释，很受了限制。但并不能因此得出结论，说政治与文学是矛盾的东西。出世观和替天行道说之所以不能说明社会问题，并非因为他们有了立场，而是他们的立场不正确。

所以问题的要点，就归结到什么阶级才最忠于现实这一点了。

鲁迅在批评京派与海派文士们的分合的时候，曾解答了这个问题。文坛上京派与海派的关系，是颇复杂的事。一时则分庭抗礼，看来仿佛是龙虎斗似的，一时则又相互拥抱，那又简直是京海杂烩了。京海的文士们为什么忽而分立忽而合伙呢？难道是应了分久必合、合久必分的古道呢，还是有别的阶级关系呢？那当然是由于阶级关系的缘故。北京是明清的故都，多官吏，所以在京的文士近于官，是官的谋士，上海为中国的洋场，多商贾，而在上海的文士，又近于商，是商的清客。但在中国，商人总为官人所轻视，于是海派的文人，在京派的眼里，就失去重量了。

然而这只是一时的现象而已，但到了内忧外患交迫的时候，而帮闲之流，又只会提倡求神拜佛，读经尊孔，宣传儿童年、妇女年，点古书、讲幽默，已经算不得是帮忙而流于扯淡这一流了，为了救帮闲的穷技，于是京海两帮的互相提携，又有事实上的必要了。

他从一群人所聚居的地域对于他们的观念形态的影响，因而形成了不同流派之间的纠葛这一点，而求其分，又从两派之间的对峙并非根本的，时势一变，帮闲者们又并于一体，仿佛海上的浮尸，经风浪一吹，而群聚于一处似的这一点，而求其合。——这是唯物辩证法的分析，所以也完全合乎现实的发展。

也由于这一点，鲁迅相信阶级斗争的学说，以为“惟有新兴的无产者才有将来”。所谓将来，自然是现在的将来，其实不抓住现在，那里还有什么将来，所以失掉了现在，也就没有将来。因此也惟有了解今日，才能预断明天，现在战斗着，才能获得将来的生存。

正因为工人阶级有历史的远见，所以无论他们所描写的是什么事情，所采用的是什么题材，只要写成的是艺术作品，都有战斗的意义，对于现在和将来，也都有用处。

“从喷泉里出来的都是水，从血管出来的都是血。”一个作者断然不能超出他本阶级的生活和意识之外，我们不能责备什么人有什么立场，这是被决定的，只能批评这个立场的正确与否。

四　普遍性和永久性

以上是从作者这一面，来论文学的制作，现在再从读者这一面，来论文学的鉴赏。

文学鉴赏者的对象，是有界限性的。在现代的中国，有专门知识，甚至于略通文字的读者，是并不多的，而极大多数的人们，还是不通文字的文盲或半文盲。对于这些人，文学就无能为力了。他们看来有用的，只有图画、戏剧之类，因为还可以用视觉去看形象，用听觉去辨声音。至于看不见形象的盲子，也惟有使用听觉听音乐或说书罢了。

但是我们说文学的有界限性，并不是说某种文学的真实，为某些读者所不能接近或鉴赏，而是说用什么形式来表达这种真实，才使他们易于接受，所说的是文艺的形式，并不是内容。只要是真实的内容，而且读者也多少有这样的经验，就发生了感应，即起了鉴赏的作用了。所以文学的鉴赏，其实就是“生命的共鸣”。这是以作者和读者的经验为基调而起的感应。例如对于飞机，如果没有现代战争的经验的人，看见在天空飞翔的飞鸟，也许当它作风筝或其他什么东西罢。至于未开化的猺民以飞机为天神天将的，是见于新闻的记载之上。但看过飞机下蛋，或拾过鸡毛的人，当然一看就懂，无须谁来指点或开导了。还有一层，即使作品所写的是实有的事，但已经是历史的陈迹，不再见于人间了，那时作者和读者的因缘互隔，作品里面的观念形态大抵就不能打动读者的心，而作为情知的渲染手段的文艺，也就不能起应有的作用了。

鲁迅是从这一点提出了关于文学的普遍性和永久性的意见：“文学有普遍性，但有界限；也有较为永久的，但因读者的社会体验而生变化。”这话包含有三层意思：

一、文艺的鉴赏是以经验为根柢所起的共鸣；二、至于经验不同，作品的形象也有变化；三、没有类似的经验，作品也就失去应有的效用了。要说明这一点，可用中国小说中人物和现代读者对于这些人物的感应为例。中国白话历史小说所描写的多半都是中古的故事，但因中国历史的停滞，凡所写的不少至今也还有真实，如林冲这样的教头，他的遭遇，如今还有其人其事，所以即使是宋明的史迹，生于民国时代的我们看起来，也依然是真实的，并且为作者的描写所感动了。但民国依然还是民国，生活体验毕竟不同于宋明，我们现在所见的林冲，不妨是一个军官——眉粗眼大，穿着军装，佩着指挥刀的有骨气、有正义感的革命军官了，于是林冲就被时代的意识所改形了。至于《金瓶梅》里的西门庆和《九尾龟》里的章秋谷，中国至今虽然也还有这样的人，有这种社会经验的中国人是看得懂，而且相信的，但欧美，尤其社会主义苏联的读者看来，确实是看不懂，也不相信的，甚至以为作者是贫嘴薄舌，无端编排海外的奇谈来奚落他们的无识了。

关于文艺的鉴赏，还有一个真幻的问题。

作品自然有用第一人称的，但总是用第三人称的居多。于是自己的经验，往往借着别人的嘴巴说出了。但是当叙述第三人称的心理状态过于详尽或过于细腻的时候，难免会使读者有点疑惑，以为这事并不是作者本人的，又怎能知道那么详尽，因而生出破绽，而文学的真实性也由此被毁坏了。相信这所说的人，以为散文中最适当的体裁只有日记体和书简体。然而鲁迅的意见却以为文学上的真实不在所写的事有无破绽，使人信或不信，而在这事本身的真假。假的事，即使写得入情入理，也依然是假的，至于真事，就是叙述上有时不大合乎情理，那作品也有真实。还有一层，如果所写的事情，避开心理的描写或者要求没有破绽，万一所写的与事实相左，那破绽真的不可弥缝了。

> 幻灭之来，多不在假中见真，而在真中见假。

他这句话的要点在于假中有真，但所谓假不是真实上的假而是叙述上的所谓假。譬如说梦话，在体制上，不一定是真有，但也无大妨碍，因为聪明的读者，是可以从梦境中看出真实。反过来，自以为是事实了，如果一旦从这里面看出了破绽，那时幻灭就无法解消了。所以“与其说所谓真话之假，不如来谈谈梦话之真”的道理就在此处。孙行者翻一个筋斗就十万八千里，大抵是没有这样的人罢，但世间翻筋斗的人其实到处都有，那么虽然不合情理，但也有真实了。因此推论起来，《镜花缘》的林之洋，被女人国的女王所看上，于是被强迫穿耳、缠足，还被封为娘娘，就叙述的本身看来，当然是假的了，但由此推见作者以及像作者一样的人们对于儒教的反抗心理，那也有真实了。至于日记体，大抵不会有破绽了，但如果在日记上抄上谕，例如李慈铭，为的提防御览之类的意外事，那么凡所写的，即使都是事实，读者也无从看见李慈铭的心。

还有书中人和实有的人的关系，也和文学鉴赏有关的。写在作品中的人和实有的人，自然不完全一样，因前者是典型，杂取各种人成一典型的，不用说了，即使某人整个的进了小说，一言一动甚至于极细微的动作，也不加减，这也无非因为这些有代表某种人的完全意义，这和科学上的公式，如砒霜有毒的，都适合对一切砒霜的通性，是同样的。但作者如果技术高明，而作品又久传了，那么，读者所见的就只有书中人，和实有的人不相干了。“人生有限，而艺术却较为永久”这道理就在此。

但某些为鲁迅所评论过的特种学者，如胡适辈，对于这点是愚昧的。他们只求叙事的无破绽，读了大观园，就去查它和随园的渊源。虽然分明知道小说旧闻中早已有人揭破了袁枚的说法，也依然念念不忘。贾府在北京还在金陵呢，这地点问题也用心去考证，于是纸糊窗户、土炕、竹杆等，都成为可以挑剔的材料了。其实读小说，即使当作一部史料来看，也不必如此琐碎。《红楼梦》的地点，在北，也在南，有的是北人风俗，有的是南人习惯。也许有人说这是曹雪芹的破绽罢，但并不要紧。何况这书经过了几重手，很有些是后人增补和删改的地方呢？所以文学批评史的任务是在考究这书中所写的是否合于清初社会的实际情状，不在于挑剔所写的有无破绽。

第七章　表现思想的方法和形式

一　文学的典型

美国的文学家辛克莱曾说，一切文学都在宣传。他的意思是指文学家不论有意无意，总有一定的创作目的而言，但自然不能认为一定要在作品里挂上政治的口号，只说每篇作品，总有某种政治作用的意思。鲁迅也说过他的思想是发表在他的文字上。他是用文学形式来表现思想的，大概在早年的文笔活动中，是兼用小说和散文这两种形式，到后来就完全以批评家而出现了。

文学作家们的使命，是创造文学的典型。他们或者取一个典型的人，或者取各种人的某一点，合成一个典型。典型写了出来，使读者在思想上感情上都受着刺激和感动。所以典型写得越逼真，感人的力量也就越大。

人们读了文学家的伟大作品，被作者的世界观所吸引、所渲染，溶化在作家所设想的境界里。在这意义上，文学是一种战斗的利器。但有一个先决的条件，必须作品写的逼真，是现实生活的反映或模写。鲁迅常说“天地大戏场，戏场小天地”，正说着这意思。戏场上的各种脚色，他们的思想、生活、动作、言语，也就是现实世界人们的思想、生活、动作、言语。因此典型的创作，虽然经作者思索过、排铺过、洗炼过，但典型决不是思惟的出品，而是某时代或这时代中某种人的生活的反映。

鲁迅小说中的模特儿的所以能够感人，使人喜欢或流泪，兴奋或振作，这是因为现实的中国人如实地被写在他的小说里。他所处理的人物，没有一个不是中国人，不是他那时代中习闻常见的中国人。这些人有的在乡村中，也有的在小城市里。读《呐喊》和《彷徨》，没有一个模特儿是虚构的、硬造的，没有一个是西洋小说里的人物的复制品，没有一个不是中国人的画像。

《狂人日记》是他的第一篇小说，也是中国新文学的第一篇。这作品，在他的创作活动上或中国新文学史上，都有极重要的价值。《狂人日记》的写作，据自述是得力于外国作品和医学知识："那时是住在北京的会馆里的，要做论文罢，没有参考书，要翻译罢，没有底本，就只好做一点小说模样的东西塞责，这就是《狂人日记》。大约所仰仗的全在先前看过的百来篇外国作品和一点医学上的知识，此外的准备，一点也没有。"（《南腔北调集·我怎样做起小说来》）这的确是他的实话。因为读过不少外国作品，东欧和日本作品，受了他们的影响，于是写出了这样的艺术品。的确，这篇小说不仅写出了新的思想，并且用了新的体裁、新的风格、新的笔法，来表现新的思想。明清小说家中没有过这样的作品，清末李伯元以下的白话小说家也没有写过这样的佳构。又因为作者有着丰富的医学知识，所以能够惟肖惟妙地写出了患着"迫害狂"之类的病者的形象来。

然而作者所仰仗的东西，其实不只是如此而已的。他没有提到的，至少还有不可少的两种东西：一是对于中国旧小说的心得；二是对于中国社会的深刻的观察和经验。不熟读过明清白话小说，摄取其精神，要写出像《狂人日记》这样成熟的作品，也是不可想像的事。这小说所用的字汇造句等，是颇得力于白话小说的。至于写作者对于中国社会的观察和体验，只须读过这作品就会知道。赵贵翁、古久先生、狼子村等稀奇古怪的人名或村名，非患过中世纪式迫害狂的人是不能够想像出来的。没有过这样病态的人，也不能够看出给官绅打过枷、掌过嘴、占了妻子的人，又准备着吃掉比他们自己卑下的人们的；不能够看破中国是四千年来吃人的古国，这古国里的人结成一伙，“互相劝勉，互相牵掣，死也不肯跨这一步”，而且以为从来如此，就永远不肯跨过这一步的；更不能够体会吃人者对着不是同一伙的人，就当他作疯子，不，作叛徒，而加以迫害的。

《狂人日记》之后，即由一九一八年至一九二六年，鲁迅写了收集在《呐喊》里十四篇和《彷徨》里十一篇小说，共有二十五篇，其中最特出的是乡土小说。《呐喊》中的《狂人日记》、《孔乙己》、《风波》、《故乡》、《阿Q正传》等，《彷徨》中的《祝福》、《在酒楼上》、《高老夫子》、《孤独者》、《离婚》等，所用的背景鲁镇、S城、寒石山或其他，总在浙东的绍兴。可以说鲁迅的小说是中国乡土（或农民）文学的代表。自然，鲁镇、S城、咸丰酒店和孔乙己、闰土、祥林嫂、爱姑等都是某地或某人的固有名词，但一个这么大的中国，在很久的历史里反复地过着大同小异的生活，因而也不妨当作普通名词来看，就是中国社会的某种典型。鲁迅曾说："还记得作《阿Q正传》时，就曾有小政客和小官僚惶怒，硬说是在讽刺他，殊不知阿Q的模特儿，却在别的小城市中，而他也实在正在给人家捣米。"这意思推广起来，闰土、赵七爷、陈士诚、魏连殳、方玄绰、子君等典型，也确实在中国的乡村里或小城市中活着，而他们也实在给人家种田，给人家蹂躏、侮蔑，或者张着口去咬人，执着鞭子去打人，总之，这些都是中国农民社会的写生。

《故乡》是一篇有价值的作品。每次来读，读到闰土由一个聪明活泼的儿童一变而为一个眼红、面皱、颜色灰黄、衣单、掌裂的中年人，就立即屏息着呼吸，聚注着精神，看着原是主人的儿子和雇工的儿子的对话。一个叫闰土哥，一个称老爷，而称老爷的还教自己的儿子给老爷磕头，又辩护着自己的称呼，以为哥弟称呼不成规矩。又摇着头慨叹于生活难，又拣了长桌、椅子、香炉、烛台、抬秤、草灰之类的东西，还在草灰里藏起十多个碗碟……。中国农村社会里的灾荒、租税、兵匪、官绅等，使这善良的农民，变了一个木偶人，而且使他和自己主人的儿子，隔着一层可悲的障壁。

中国农村里的阶级制度离开人们的思惟而独立运行着。非打破这一层障壁，佃主和佃户，主人和雇工，不，人们永远都隔离起来。《故乡》写出了使人不相通的高墙的魔力。这事实非身历其境的人，决不能写得如此逼真、生动、感人。

还有《祝福》里的所谓不干不净的女人——祥林嫂，读了也发生极大的悲哀。祥林嫂赢得这恶名，是当着她第二回踏进鲁四爷的家门的时候。第一回，她是以孤孀的身份来鲁家做女工的，后来又被男家抓回去，转嫁给人，还生了孩子。但男人不幸因伤寒死了，儿子又给狼衔去，只得再进鲁门。这一回，她的待遇，可就完全两样，被当作败坏风俗的女人。只准她帮工，祭祀时不准沾手，因为不如此，不干不净，祖宗是不吃的。这一年的祭祀，她去摆酒杯和筷子，四婶忙着说："祥林嫂，你放着罢！我来摆。"她去取烛台，又慌忙说："祥林嫂，你放着罢，我来拿。"又一年的腊月，人们都忙起来，祥林嫂事先也捐过赎罪的门槛了。祭祖时她去拿酒杯和筷子，又只听见“你放着罢，祥林嫂”。从此以后，她就失了常态，又被主人打发走，终于成了乞丐，死了。

中国封建制度把女人“挤成了各种各式的奴隶，还要把种种罪名加在她头上”，诅咒她、凌辱她，一直到她吸着最后的一口气。这是女人们的命运，而祥林嫂只不过是这生命圈里被人们所糟蹋的最可怜的一个而已。

鲁迅已经把他所熟悉的农村和小城市的人物的形象，画了出来，得着他的大笔的点染，他们是永远不朽了。但一九二六年以后，他就放下笔不写小说了。他不写小说，正如他所说，是因为“写新的不能，写旧的不会”的缘故。五卅事件以后，十年之中，中国社会的变动是迅速的激烈的，所以发生了新的关系、新的事物、新的观念。而鲁迅那时既不能到各处去考察，也不在革命的漩涡之中。并且新的文艺思想，也在那时输入到中国来了，要用新的方法来概括新的社会现象，确实是费时和费力的事。固然，鲁迅也计划过写关于知识分子的长篇，但未执笔他已经死了。

二　理论形象化

倘说创造文学的典型是鲁迅的小说的杰出表现，那么，理论的形象化，又是他的杂文的独特的风格了。鲁迅的小说，只有收集在《呐喊》、《彷徨》里的二十五篇，卷帙并不很多，但杂文，由最初的杂文集《热风》起到死后才出版的《且介亭杂文》止，共有十多种，不下百万言，在鲁迅的文笔活动中居于中心的地位。文名曰“杂”，这只就题材和体裁而言，即问题无所不谈，文体不拘定式。但在这百万言的文章中，其实是环绕着几个重要思想问题，一切文章都以这几个问题为中心，加以纵面和横面的解剖。读过他的杂文，使我们惊叹的是，其中没有一篇文章，不是具体的分析，没有一篇文章或某篇文章中的某几点，是抽象的笼统的说理。这在中国人的说理文章中，是罕有的作风。

要说理文字不流于抽象化，使人读过之后，只留下些条文公式在脑子里，确实是不容易的事。鲁迅的杂文，能够写得具体生动，这是因为他有丰富的生活经验和广博的学艺知识。有人给过他一个恶名：世故老人。其实从正面看来，倒显出他的特出处，就是富于人世经验。经验是战斗的知识。鲁迅在现代中国人中，是一个阅历最多的人。他的阅历、战斗，都使他对于人生的认识，最为透彻。

但鲁迅不但经历了十九世纪的最后四分之一（一八八一年——）和二十世纪前三十年代，还从苦楚的阅历和深刻的观察之中，带着最丰富的经验来参加新文化斗争。并且他还有广博而深刻的学艺知识。他富有自然科学知识（他实习过开矿，又研究过进化论）；他博览过东欧和日本文学（俄国的安特列夫、果戈里，波兰的显克微支，日本的夏目漱石给他的影响最大）；他通晓革命后俄国文学思潮（苏联的文艺理论和作品都是由他和他的战友翻译过来）。他是中国古文学的专门家，对于古小说，他的知识最博，成就也最大，对于中国文学史，也有非常丰富的知识。总之，他可以说是中国文化和欧美文化的综合者和沟通者，现代中国知识分子中的代表。

鲁迅写杂文，最长于用例证和比喻，无论怎样难懂的问题，用一个例证，取一个比喻，读者就了然于中。

有人说，他的文章不是大众语的典范，这话也是有根据的。读他的杂文，常遇着他用字达到极吝啬的程度。这也有好处，因为文字简约老练，但因此就不大容易使读者去接近。可是他的文章的结构，确是深入浅出的标本。大概谈通俗化大众化的人们，每每只侧重于形式，文字修辞之类，而忽略了文章的内容构造，即例证、比譬，——也即理论形象化，是抓不住问题的中心的。在这点上最用力而且写得最精采的，就是他的杂文。

“家庭为中国之基本”，这一个见解原是吴虞解剖中国社会最有见地的结论。吴老先生钩引文献来证明这命题。但同一题目，由鲁迅来做，却有别样的写法。他用了很多例证：中国能酿酒先于种鸦片，但许多人却躺着吞云吐雾。唐宋有踢球，但中国人的娱乐是躲在家里叉麻雀。飞剑从仙人的鼻孔吐出，依然钻回去；学生闹学潮，依然交家长管束。人死了，变了鬼，活人又烧纸房子，请他进去。火药只做爆竹，指南针只看山坟。所以他说“家是我们的生处，也是我们的死所”（《南腔北调集·家庭为中国之基本》）。通篇没有一句说理，只举一些生活上的实例，但读了却又是一篇极严谨的论文。

《现代史》这篇短评的意思，是说那时的中国，变来变去，始终是这样的中国，换来换去也是那一流人，或者征收钱粮，征来征去，都是征老百姓的。说明这道理，他所用的比喻是变戏法。或者猴子耍把戏，或者人变戏法。耍了一通，要钱，钱要到了，变戏法者收拾家伙走掉了，看客也一同走散了。空地上沉寂了一些时候，又来耍这一套。虽然总是这一套，也总有人看，总有人给钱。(《伪自由书·现代史》) 这篇对于现代史三字，没有提过一言半语，但所用的是极普通的社会现象，所以读者也不难推想起来。

鲁迅的杂文，还有彰明昭著的一点，是叙述古人古事时，总喜欢并提今人今事，或者用时事来解释古事。还有一面叙事，一面发议论，用记事来说明理论的本身。

例如关于中国旧戏中的脸谱罢，有的论者以为用白、用红、用黑、用蓝等色素来表示一定的性格，是中国戏的象征的手法，而鲁迅却又以为脸谱只是人物的分类，即从脸相上来辨别人的好坏的方法。他的立论根据是：

富贵人全无心肝，只知道自私自利，吃得

白白胖胖，什么都做得出，于是白就表了奸诈。红表忠勇……在实际上，忠勇的人思想较为简单，不会神经衰弱，面皮也容易发红，倘使他要永远中立，自称“第三种人”，精神上就不免时时痛苦，脸上一块青，一块白，终于显出白鼻子来了。黑表威猛，更是极平常的事，整年在战场上驰骋，脸孔怎会不黑，擦着雪花膏的公子，是一定不肯自己出面去战斗的。

——《且介亭杂文·脸谱臆测》

他说的是旧戏中的脸谱，而他骂的却是时下的人们，这是一个例子。

至于在叙事里发议论，更是常见于他的杂文之中。这手法的妙处在于具体说理，或借题发挥。例如在《阿金》这一故事中，是叙述着一个讨人厌的女仆的琐事——女友多、常嚷嚷、轧姘头。但写到几个大汉追赶着她的姘头，他逃至阿金那里，而阿金却闭门不纳这一节的时候，鲁迅名这一场为巷战，并用这一节来说明战争的内容。

这一场巷战很神速，又在早晨，所以观战者也不多，胜败两军，各自走散，世界又从此暂时和平了。然而我仍然不放心，因为我曾听人说过：所谓“和平”，不过是两次战争之间的时日。

——《且介亭杂文·阿金》

他在这故事里又说明一个理论问题了。

三　文章风格

评论某人的文章，首先可以看他所用的字和所造的句等等。在这几方面，鲁迅的文章，确有特殊的风格。单从一九三四年所作的几篇文章中，就寻出下面的字汇：

空灵　末笔　血泊　闲适　文祸　兴头　昏瞶　锋棱　群丑　群小　上风　超妙

正襟危坐　天趣盎然　灵机天成　心地晶莹　却病延年　心安理得　剔剔牙齿　摸摸肚子　高华典雅　歌颂升平　粉饰黑暗　佛头着粪　迷离惝恍　一干二净

土花斑驳　谨严入骨　圆转活脱　剽上窃下

收起　放开　执着　堵住　发付　辱没　厚待　捏住　诘问　小觑　归化　洗伐　泯灭　招供　钩下　吹嘘　钩索　严责

看了这些字汇，可以知道用字的精确、美丽、新颖、生动。能够做到这地步，我想至少有这几种因素：第一，精通古字古语，鲁迅是小学大家章太炎的弟子，对于中国古字古语，是有过研究的，所以许多表情达意的古字，到了他的手里，经过一番洗炼工夫，就成为活字汇了。第二，熟悉俗字俗语。高尔基说“大众语是毛胚，加了工的是文学”，他引了高尔基的话，以为是中肯的指示，所以引车卖浆者流的口头语，经过他的加工，也变成活的文学字汇了。第三，通晓外国语文。鲁迅自谦因为缺乏外国语的学力，所以徘徊观望，不敢译著名的巨著，但是他确也通晓日、德、英语，所以归化了的外国字眼，也常常在他的文章里出现。

文章结构的含蓄、深藏，这也是鲁迅杂文的最大的特点。但也因为这一点，有的读者以至批评者，对于他的文章的主题，往往忽略过去，是不足为奇的。他曾说自己的文章，由于含蓄，常招致了误解，或流于晦涩。但显露的文章，如汪洋大海，一目了然，又如水银倒地，一泻而尽，自然也是有好处，但只是如此，可又没有回味的价值了。

例如国民党的宣传机关忽而广播颜之推的《家训》，这书是教训人知道读《论语》、《孝经》，虽则身为俘虏，也可为人师，在一切俘虏之上。鲁迅以为官方突然捧出颜之推来，这是儒术与儒教。

> 这种教训，是从当时的事实推断出来的，但施之于金、元而准，按之于明、清之际而亦准。现在忽由播音，以“训”听众，莫非选讲者已大有感于方来，遂绸缪于未雨么？
>
> ——《且介亭杂文·儒术》

所谓儒术与儒教，原是某种读书人图上进求俸禄的门径，但是，倘使他的目的一旦达到，己身以外的事就非所顾及了。由金元清的儒者的事迹来推断当时的尊孔崇儒的后果，也可想而知。这篇文章的主题，就隐藏在里面。

鲁迅又常写反语，以讽刺的口吻显示出来。例如关于国民党杀害共产主义者的事，他以为这是死者的错误，他们又用自己的血，为自己的权力者的错误洗刷了。至于他对于变节的人的改悔，他又说忏悔的心是崇高的。这里分明是从反面立意，一是对于死者的赞美，二是对于杀人者的憎恶，三是对于改悔者的轻蔑。

“以其人之术还治其人之身”，这是鲁迅反中庸主义的表现之一。其实所谓求仁而得仁，论理也是应得的。在写文章的时候，他常用这一法。章士钊以白话不如文言，举“二桃杀三士”为例，以为“二个桃子杀了三个读书人”，比起原文来，译文是多么累赘，于是说白话“是亦不可已乎”了。一句话宣布了白话的死刑。但一查原典，所谓三士，原是三个勇士，并非三个什么读书人。连出典也茫然不知，就挺身而出，大骂白话，其实自己连所拥护的古文也不知为何物，结果“是亦不可已乎”竟落在他自己这一面。

还有在辩论的时候，抓住要点，立刻给论敌以致命的打击，如匕首，如投枪，也是杂文的又一特色。

某学者常写过所谓“闲话”，仿佛他所管的是与己完全无关的事，但他却以“并非闲话”为题，以为天下并没有什么闲事。有人说给死囚在临刑前当众说话是崇拜失败英雄的心理，要不得的，而鲁迅却又反过来说这是成功的英雄对于死者的恩惠。又有人用文人相轻一语，骂倒文坛上纷争的两造，而他却说这并不是互相轻贱，而是非其所非，是其所是，所以有明确的是非和有热烈的爱憎。抓住主题，与论敌针锋相对，这是最有力的论辩。

鲁迅所写的辩论文字，辩语极简炼，而且常引对手的文字，只用括号一勾，再加上评语，就使论敌显出了原形。这样的反攻是最有力的。例如他评施蛰存之推荐青年读《庄子》与《文选》的事：

> 现在看了施先生自己的解释，（一）才知道他当时的情形，是因为稿纸太小了，“倘再宽阔一点的话”，他“是想多写几部书进去的”；（二）才知道他先前的履历，是“从国文教员转到编杂志”，觉得“青年人的文章太拙直，字汇太少”了，所以推举这两部古书，使他们

去学文法，寻字汇，“虽然其中有许多字是已死了的”，然而也只好去寻觅。

——《准风月谈·感旧以后（上）》

引号内的都是施蛰存的话，这里只用“才知道”、“因为”、“所以”一表，读者就知道推荐《庄子》与《文选》的所以然，又用“虽然”、“然而”一转，原来又没有这所以然，虽然没有这所以然，也只得去寻一下子。这样一来，推荐者的立场也就立刻被暴露了。

《出关》发表之后，引出了许多的批评，其中的邱韵铎以为这是“作者的自况”，所以鲁迅是这里面的老子。一个孤独的身影骑着青牛出关去了，跟着的还有和他一样的作家们。然而鲁迅的回答是：

这一来真是非同小可，许多人都“坠入孤独和悲哀去”，前面一个老子，青牛屁股后面一个作者，还有“以及像鲁迅先生一样的作家们”，还有许多读者们连邱韵铎先生在内，竟一窠蜂似的涌“出关”去了。但是，倘使如此，老子就又不“只是一个全身心都浸淫着孤独感的老人的身影”，我想他是会不再出关，回上海请我们吃饭，出题目征集文章，做道德五百万言的了。

——《且介亭杂文末编·〈出关〉的关》

这抗议是从孤独感三字上做文章，自己出了关，又有许多类似于自己的人也一溜烟地跟着走了，这自然不是孤独的身影了。

四 冷静和热烈

人们对于鲁迅，脑子里常常浮起一个孤独的影子——“一个全身心都浸淫着孤独感的老人”（邱韵铎）。“第一个冷静，第二个还是冷静，第三个还是冷静。”（张定璜）好像这一位老人全没有半点同情的心，不论对着什么都没有反应。然而，冷静和热烈，并不是不可调和的东西。感情、热烈、冲动，和理智、冷静、沉默，其实是互相浸透的两种情感作用。这两种感情是能够统一于一人的身心里的，不过只是一者蕴藏于内，一者发泄于外而已。其实最冷静的人，同时也是最热烈的人。鲁迅曾说“最高的轻蔑是无言，而且连眼珠也不转过去”。某人瞧不起你，他一声也不响，只瞅你几眼，有谁遇见过这冷酷的脸孔，大概可以尝着世上的所谓轻蔑是什么。这是有别于明言的轻蔑的，明言轻贱着什么人，只算是小的轻贱，这话深得中国古人所说的“一切尽在不言中”的寄意。两个人对面坐着，心心相印，半天也不响一下，你敢说他们没有精神上的往来吗？这是浅薄的感情易于冲动的人们所不了解的。要来套这一句话，可以这样说：“最高的热情是沉默，而且连瞅也不瞅一下。”

有阅历的人当他最沉默最冷静的时候，也就是最富于感情最热烈的时候。人们以为鲁迅是冷静者、孤独者，大概是根于他的冷然的表情罢。如《京报》征求青年必读书十种，而他却这样的回答：“从来没有留心过，所以现在说不出。”又如中学生杂志社问在内忧外患交迫的非常时期中应当对中学生讲什么话，而他却反问：“我们现在有言论的自由么？”这样的所问非所答，讽刺戏谑的态度，是使人下如此评语的根据罢。诚然一看如此的问答，也会使人们由惊异而发笑，但细想一下，又会肃然，原来是最热烈的最真挚的声音。“我看中国书时，总觉得就沉静下去，与实人生离开；读外国书（但除了印度）时，往往的与人生接触，想做点事。……我以为要少看（或者竟不看）中国书，多看外国书。少看中国书，其结果不过不能作文而已。但现在青年最要紧的是行，不是言。”试想一下，心里不蕴藏着浓厚的感情的人肯指导青年人与现实人生接近，肯指出行重于言，肯宣告自己所钻过的故纸堆里没有什么用处的吗？认真地说出自己心底的话，使人向前进取，难道这人是无同情心的吗？对于中学生杂志社的反问，又使人深切感觉到被压抑者的真声音，没有言论的自由，话自然无从说起，所以想讲老实话，“第一步要努力争取言论的自由”。叫出这样的声音，这绝不是第三者旁观者在说风凉话，而是要自己和问者和听者一同加入战斗中去的表示。

我们还可以反问：没有热情的人，他会受了一个村妇人的侮辱、轻蔑，而决绝地去寻求自己的仇人所诟病的人们吗？没有热情的人，他会偶然在电影上看见一个中国人被斩，许多中国人围着观赏的示众图，就弃了医科学校的学籍而投身于新文艺运动吗？没有热情的人，他会为着儿童的幸福，为着使儿童们的世界有点乐趣而诅咒妨害白话者，即使因此而堕入地狱或粉身碎骨也决不自惜、决不改悔的吗？还有，他教青年们叫出真的声音，即使所叫的是没有爱的悲哀或无所可爱的悲哀。他教寂寞的俄国歌舞团的歌人，收藏了竖琴，沉默了歌声，或唱出对于沙漠的反对的歌。他劝演剧员用大批蚊烟把什么也不懂、只会胡闹的看客薰出剧场去。像这样的追求者、同情者、知音者、爱真者，他心里没有光、没有热、没有花、没有诗的吗？

再来引几节流露于鲁迅的笔端上的含着缠绵悱恻的情调的美文。

《朝花夕拾》是他的回忆录，是他的自传。他记着三个不同的人，一个是褓姆，一个是同学，一个是先生。其实据自述，他的褓姆阿长是并不怎样可敬的人，在别人的背后切切察察地讲私话，夏夜里睡在床上，摆成一个大字，使同睡的小孩挤成一团，又硬逼着儿童遵守各种新年规矩、其他的规矩。但阿长为他买过绘图的《山海经》，“别人不肯做，或不能做的事，她却能做成功”，以为是很可敬的事，所以到这年青守寡的孤孀死了三十年之后，他写着她的故事，末尾留下一句：

> 仁厚黑暗的地母呵，愿在你的怀里永安她的魂灵！
>
> ——《阿长与山海经》

范爱农原是一个先前和鲁迅闹过意气而后来又成为他的知己的人。爱农死了，他又忆起他的幼女来：

> 现在不知他唯一的女儿景况如何？倘在上学，中学已该毕业了罢。
>
> ——《范爱农》

最使他铭记于心的是为他订正过讲义，订正过解剖图而且忠于自己的学问，希望自己的生徒把新的医学传到中国去的可敬的解剖学教授——日人藤野严九郎。

> 每当夜间疲倦，正想偷懒时，仰面在灯光

中瞥见他黑瘦的面貌，似乎正要说出抑扬顿挫的话来，便使我忽又良心发现，而且增加勇气了，于是点上一枝烟，再继续写些为“正人君子”之流所深恶痛疾的文字。

——《藤野先生》

他的回忆，阿长是看不见了，那时候她死了三十年了，不死，她也是一个目不识丁的女人，什么也看不懂。范爱农也看不见了，也是因为他早已死了。而藤野严九郎是会看见的，他见过没有，看了又发生什么感想，这些我们都不知道。可是他的博大的无国界的爱，的确感动了他的中国学生，“忘记我，管自己生活”，这是鲁迅对于藤野的答礼。

五　幽默和严肃

鲁迅的讽刺文章，在中国散文中创造了一种新的风格:严肃、深刻、有力，这是我们所知道的。可是对于讽刺，平常却流行着各种的误解。

最普通的误解，以为讽刺是一种恶德，讽刺只是造谣、诬蔑。其实讽刺的根柢是真实，而且是很常见的事。但在那时已经是不合理的了，于是讽刺家揭发出来，所以讽刺实际上是对于社会上的病态现象的暴露。至于讽刺文字中夸张的分子，只是作者要抓住要点而加以有力的批评，也是有实际的根据，而并非任意的捏造。

还有一种有害的误解，以为讽刺只是讲笑话。不错，讽刺的作品，诚然会使人发笑，但这只是一种副作用，而真正的目的，并非是在说笑话，“并非将屠户的凶残使大家化为一笑，收场大吉”。这笑，在讽刺者本人看来，也许是含泪的笑，而在被讽刺以外的人看来，却是健康的笑。那么，被讽刺者由此而知改悔，也未始非自新的机运，而发着健康的笑的人们，则由此而引起对于传统思想的憎恶。所以讽刺并非冷嘲和笑骂，并非第三者的豪语，而是批评与抗争，是战斗者的匕首，而讽刺者本人也加入战斗之中。

鲁迅对于油滑轻薄、开玩笑寻开心之类所谓幽默，因为这只能叫人眉笑眼开，所以近于打诨的文字，认为是无效果的。自然讽刺的笔，也不免有点滑稽，使肚子里的闷气，借着笑的幌子，嘻嘻哈哈的吐出来。但既是幌子，就必有所指，那就是讽刺的所在。总之，借着笑的面孔，来吐露自己的不平和反抗的，正是讽刺的特色。所以在讽刺之中，总有严肃的问题。讽刺与严肃的一致，这好像冷静和热烈的相通，是同样的。

以下的几个例子，可以看见幽默和严肃的一致。第一是讽刺北京时代的正人君子们。

> 蛆虫也许是不干净的，但它们并没有自鸣清高；鸷禽猛兽以较弱的动物为饵，不妨说是凶残的罢，但它们从来就没有竖过“公理”“正义”的旗子，使牺牲者直到被吃的时候为止，还是一味佩服赞叹它们。
>
> ——《朝华夕拾·狗、猫、鼠》

读了这譬喻，也许会破颜一笑罢，但笑过之后，立刻又想起一个严肃的问题，正人君子们其实连虫豸也还不如，至少它们没有他们这么惯于装腔作势。这样看来，说菌类有毒，说鸟粪蜘蛛故意装作鸟粪模样，说蜘蛛螳螂吃掉自己的亲丈夫等等，也都是“人话”了，因为在它们看来，这完全是不成问题的。

第二是讽刺国民党御用文丐的事。

> 最有妨碍的是这些“文艺”的主持者，乃是一位……政府委员和一位……侦缉队长，他们的善于“解放”（作者注：即屠杀）的名誉，都比“创作”要大得多。他们倘做一部“杀戮法”或“侦探术”，大约倒还有人要看的，但不幸竟在想画画、吟诗。这实在譬如美国的亨利·福特（Henry Förd）先生不谈汽车，却来对大家唱歌一样，只令人觉得非常诧异。
>
> ——《二心集·黑暗中国的文艺界的现状》

黑头学丑脚，丑脚学黑头，这的确令人愤怒和心酸，为的是唱得不内行。这比喻是很有趣的，但并非说笑话，而是讽刺那些拿着侦探术、杀戮法和革命文学对抗的人们，结果，只宣布了自己是空空如也。这文是为美国读者而写的，于是又拉了福特先生来做陪衬。试看，屠夫、探子、汽车大王都改了行，学画画、学吟诗、学唱歌，而画者、唱者、写者又都是门外汉，这不是有趣的滑稽吗?

第三是讽刺旧中国的未来的光荣。有些外国文学者来中国旅行，是想找寻些奇特的色情的东西，中国人要在他们的作品中出现了。他认为这是中国人的光荣。

> 只要看报上所载的德哥派拉先生的路由单就知道——中国、南洋、南美、英、德之类太平常了。我们要觉悟着被描写，还要觉悟着被描写的光荣还要多起来，还要觉悟着将来会有人以有这样的事为有趣。
>
> ——《花边文学·未来的光荣》

旧中国的未来的光荣是提供小说题材使外国文学家去满足他们的顾客的要求，这岂只是讲讲笑话而已吗?

第四是讽刺国民党要人们提倡固有道德的事。

> 《申报》载南京专电云:“中执委会令各党

部及人民团体制‘忠孝仁爱信义和平’匾额，悬挂礼堂中央，以资启迪。”看了之后，切不可便推定为各要人讥大家为“忘八”。

——《南腔北调集·学匪派考古学之一》

大呼忠孝仁爱的，其实并不是道德家，这是很明白的事。所以“忘八”的嘉名必须和提倡者联在一起，这又来了一个严重的问题：“看呀，这是命令！”于是发令者的假面具被撕掉，而那时嘻嘻哈哈的就只有被命令的人们了。

六　主题的表现法

文章里骨气的有无，有两种不同的解释，一种是“官准的有骨气的文章”。例如，所谓“革命文学”就是。墨写在纸上都是“打、杀、血”，斥骂对方，是听从背后的指挥刀。满纸激烈的字眼，这样的文章，大抵是很有骨气的了。但也不尽然。“杀、杀、杀”，听去，诚然是英勇的，但不过是一面鼓。在指挥刀下讲革命，自然是很痛快的，但也只是痛快而已，因为“这文学并非对于强暴者的革命，而是对于失败者的革命”。所以官准的骨气，只是给与的、空虚的，而不是自发的、实有的，只是一面鼓，而最要紧的是实行革命的兵马。

又一种是“没有骨气的文章”，这种文章里，实际上并不是没有火和光，有倒是有的，但关键是“不给它（国民党检查官）见得有骨气”。文章给检查官看出了有骨气不是好的事情吗？人们的记忆中，总不会忘记国民党的书报检查制度罢，事情闹得可真不亦乐乎，编辑检查一遍，总编辑检查一遍，检查官又检查一遍，任意的删，任意的改，删改之后，还不许留着空格，要作者负着文义不通的责任。这时候人们都叹息出版界再不会有有骨气的文章了。但鲁迅说，文章写出来，是志在发表的，所以他自己必须先检查一遍，“不给它见得有骨气”。当然这是很不得已的苦衷，但你不如此做，就只好闭着嘴，一声不响，或者负着被检查后的不知所云的责任。

其实软硬不在于形式而在于内容，世上也有不少“以硬自居了，而实则其软如绵”的人，这是硬其形而软其实，给人看来像煞有硬气，而心里其实是毫无主宰的人的特色。然而还有第二种人：

“您看：我牙齿还有吗？”

“没有了。”

“舌头还在吗？”

“在的。”

“懂了没有？”

“先生的意思是说：硬的早掉，软的却在吗？”

“你说的对。”

——《故事新编·出关》

没有牙齿，可以用舌头，硬的掉了，软的还在。这老子和庚桑楚师生之间的对话，正说明着这种秘密。而这话在《花边文学》时代活过的人，大概都知道是什么意思。

不过，政事不论变得如何光怪陆离，言论的自由依然是有待于解决的问题。鲁迅早已慨叹，东三省沦亡了，还不敢请求言论自由，北五省自治了，才开始有保护舆论的请愿，那代价可谓大极了。然而人类生存的基本条件是必须力争的，即使暂时争不来，也并不放言高论，忘其所以，或超于事外，闭口不言。

所以当检查最严厉的时候，鲁迅并不因此而放下了笔，经常的写，并且他的文章在大小报上登出来，还围着一个花圈。但这并不是奴才的没有骨气的文章，而是匕首和投枪，是和战斗者一同杀出一条生存的血路的东西。《伪自由书》以下的杂文，几乎没有一篇不是这样的作品。

但有人说，这种花边体的文学，是“走入鸟道以后的小品文的变种”。然而这些文学，的确评论着什么。虽然并非单刀直入，但也不是“不痛不痒”，更不是“渗有毒汁，散布了妖言”。

总之，这做文章的奥义是“不给它见得有骨气”。当然低能的检查官，有时候也使人莫名其妙，因为他们看文字是不用视觉而专用嗅觉的。有的在显威风，逞英雄；还有的简直为了吃饭，非每月多禁多删，就有被视为懒惰者的危险，而饭碗于是乎难保，所以古怪的事，也时有所闻。如果知道这一层秘密，也不足为奇，因此带着来看鲁迅对于日本舆论界所投的几枚炸弹，是特别有意义的。有的御用文学家，奚落过黑诗人休士，说他的诗走不出英国语的圈子。然而鲁迅的声音却走出了华语的圈子。这在他们看来，一定是“托庇于外人权威之下”的论调了。但托庇于外人的议论是怎么样呢？

日本用飞机载着爆裂弹、烧夷弹在中国放火，他引经据典，说明中国人的讴歌火神，只是为了减轻一点灾害。又用反语，以为那放火的人更加受着尊敬，被人当作救世主，以见其毁灭的伟力。日本在满洲国宣扬王道，而他却以为王道和霸道并非对立的，而是同根的兄弟，在王道之前后，霸道是一定要出现的。而且在中国，也并没有过所谓王道的东西。日本在汤岛建孔圣庙，他又想起孔子在中国许多的遭遇来。他说，孔子这人其实是自从死了以后，他总是当着敲门砖的差使的，然而小百姓却明黑白辨是非，对于孔子，他们是恭谨的，却不亲密，所以也不去亲近那毫不亲密的圣人。他还直告日本侵略者：“中国的人民，是常用自己的血，去洗权力者的手，使他又变成洁净的人物的。”但因此就说彼此亲密起来，披沥真实的心，则未免过早，因为不抵抗主义和中国人不相干，在中国并没有这样的事情。然而中国人民和日本人民总能够互相了解，自然单靠着口舌或眼泪是无用的，必须是口舌和眼泪以外的东西，更不是在那时候。

大抵中国人要向侵略者抗议，也不外这些话，而鲁迅早已替我们表白出来了。现在的历史，证明着中国人忍从的程度有限，证明着侵略者的文化政策的无力，在这意义上，鲁迅不仅是最有民族气节的战士，而且是历史的预言人了。现在的历史不是正写着鲁迅所预见的事实吗？

其实这种战法鲁迅早已使用，即《两地书》所说的“钻网术”。人们不该关起门来长吁短叹，而必须正视社会的现实。然而反动政府已经张起压制言论的网来了，那么，用来对抗的就只有“钻网的法子”。《野草》里二十多篇小品，是在北京时代所作的小感想，因为那时难于直说，所有的措辞就很含糊了。但虽然难于直说或含糊说出，也并不取消了文章的骨气，骨气依然是有的，只是用别的形式表现出来而已。

第八章　文化遗产问题

一　古文化的积极因素和消极因素

现代人们接受了先代所遗留下来的文物，又继续着发挥自己固有的智力和技能，使已有的文化，日趋于进步，然后传给后一代，这样的辗转增益，就表明着人文进化的轨迹。历史是整个的，因而文化遗产的取用也有承前启后的作用。但同样的取用，有的是整个的接受，有的是批判的使用，前者是无条件的因袭，而后者则是有目的的去取。

国粹这个名词，原是文化遗产的同义语。并且由字义看来，国粹理应是文明的结晶，加以吸收，是毫无疑问的。但是中国国粹家所说的国粹其实是渣滓，全不足取的。人身买卖、生殖器崇拜、拖大辫、吸鸦片、缠足、姨太太、科学灵乩、金刚法会，这就是为国粹家所景仰的所谓国粹。但这样的国粹，没有一件不和野蛮人的生活相适应，也没有一件和现代社会生活相适应的。有的人又说，《十三经》、《二十四史》、固有道德，这才算是中国文化的精华。然而中国的历史书，严格的说是一套为帝王将相所崇拜以治国平天下的经典，而中庸、保守、虚伪、卑怯、残暴、自大、事大等，则又为中国封建道德的精髓。鲁迅的这种见解，从文化批判的立场上说，无疑是完全正确的。因为这样，作为封建意识形态的国粹里面，就有所谓穷人哲学即安贫乐道说——“穷人终是穷人，你要忍耐些”。又有，扫墓可以救国，因为死人的安危可以决定人生的祸福；打拳可以救国，因为打拳可使枪炮打不进去；时轮金刚法会可以救国，因为仗佛力之加被可以消除人间浩劫。以成人做本位，任儿孙做牛马；以男子为中心，使女人替自己和男人伏罪。还有风水合于地理学，门阀合于优生学，炼丹合于化学，放风筝合于卫生学，灵乩合于科学。总之，使小百姓们安于被压迫的地位，而大人君子们则又自造一个精神胜利的世界以陶醉自己，这就是国粹家们的用意了。

然而中国早已不是闭关主义的中国了。有的文人学者当了外国侵略者的文化帮忙者或帮闲者。清兵入关，是吴三桂引他进来的，这是为王前驱。进来了之后，有的论者又说是大军、我军，仿佛他们是咱们轩辕黄帝的嫡裔，大家都是一家子。后来时势不同了，为王前驱就变了以华制华，所以中国除了封建文化之外又有买办文化。中国是被压迫的国家，这是谁也不敢否认的事实了。但胡适之则倡言中国有五鬼：贫穷、疾病、愚昧、贪污等，这五个鬼扰乱着中华，但帝国主义并不在内，因为帝国主义攻不破五鬼不入的国门。这意思分明是说并没有帝国主义之类的东西在祸害中国，倒是中国自己该着五个鬼，闹得鸡犬不宁。还有第六个鬼——仇恨鬼，仇恨鬼不肯走，那时在日本侵略者看来，是不宁静的。因为用软功的王道，才是征服中国的唯一方法，所以必须赶走由霸道所造成的仇恨，反过来征服中国人的心。还有所谓国际合作学说：青天大老爷是最公平的裁判官，不但为中国人所佩服，而且是世界和平的保障者。对于这些曲说，鲁迅则说这是鬼话连篇，只是某种人出卖灵魂的秘诀。

又有一种为他所批评过的林语堂的对于外国文化的特殊眼睛。

> 其在文学，今日绍介波兰诗人，明日绍介捷克文豪，而对于已经闻名之英、美、法、德文人，反厌为陈腐……总是媚字一字不是，自叹女儿身，事人以颜色，其苦不堪言。
>
> ——《今文八弊（中）》

这仿佛是说，波兰、捷克是没有什么文学的，而你竟今日介绍这个，明日介绍那个，对于英、美、法、德已经闻名的文学家，反而不顾，这不是媚态是什么？然而这不过是林语堂对于文学的特殊眼睛而已。因为——

> 世界文学史，是用了文学的眼睛看，而不用势利眼睛看的，所以文学无须用金钱和枪炮作掩护，波兰、捷克，虽然未曾加入八国联军来打过北京，那文学却在，不过有一些人，并未“已经闻名”而已。外国的文人，要在中国

闻名，靠作品似乎是不够的，他反要得到轻薄。……“此种流风，其弊在奴，救之之道，在于思。”

——《且介亭杂文二集·“题未定”草·三》

学而不思则罔，这是孔子为学的方法，但这话是对常人说的，而西崽则应当是例外，因为西崽太思了，只有助长他的奴性而已，对于将来中国的文学，是有害无益的。

总之，骄和媚，这正是中国旧的文化的内外两种。自然，内外有别：一倨一恭，一勇一怯；内外相通：相依而生，相辅而行。这动的逻辑在香港看得格外明白。香港原是最适于养成惧外的习性的了，青天大老爷，就是真理。但正因为如此，为鲁迅所目击的，在这孤岛上对于中国国粹也特别注意去提倡。而港督对于保存这古国的文明，尤为出力。为了使中外感情日趋浓洽，没有隔膜，必须整理国故，并且首先成立香港大学文学系。总之，内外是一致的，因而必须互相沟通。中国历代相传的大道宏经，原来有这种魔力。这样看来，谄而骄，事大又自大，西崽而国粹家，如崇华仰夷的文素臣之流，正是某种中国人的真实的嘴脸。然而在侵略者看来，西学的东渐，中学的复兴，《圣经》和《四书》的并重，又正是他们政治上的毒策。

以上是鲁迅对于中国文化的消极因素的批判。“五四”时代的思想家，对于文化遗产，差不多都抱着否定的态度，那时的鲁迅也未能例外。但他晚年则又倡导着历史唯物主义的观点，而认为文化是相递嬗的，新文化对于旧文化的否定，只是舍弃它的消极因素，而对于它的一切积极的因素，却仍然保存下来。旧文化的积极因素是什么呢？安贫乐道哲学是古今的支配思想，但不是唯一的思想，并不安分守己，并不朴素纯厚，并不唯命是听的人，也并不是没有的。“时日曷丧，予及汝偕亡！”出于思无邪的《诗经》。“呜呼，在位而不肯自忧，又禁它人使皆不得忧，可叹也夫！”出于唐宋八大家的欧阳修。“今吴中大贤（这指无锡顾宪成）亦不出，将令世道何所倚赖！”出于被人奉为小品文圣手的袁中郎。《二十四史》是帝王将相的家谱，但中国古代的作者里面，也曾有过不少秉笔直书的有骨气的正士。尤其是正史之外的野史，尤其是宋明二朝的野史，到处都可看到这样的人。正史虽然即等于为权力者而写的行状，而且还经过异族君主的蹂躏，也还掩盖不住他们的光辉，依然没有效的。总之，中国古书中也有极有价值的故实，人们还能从中寻出有益于现在的东西的。所以中国人都应当读古人的愤懑或反抗的作品，看古今时代的演变如何，看古人的战斗如何。鲁迅曾劝青年不读中国书，是指那些使人看过后觉得要“沉静下去，与实人生离开”的著作而言，反抗文字是不在这里面的。

二　东西文化的交流

我们对于欧美的近代思想，也是同样采取着批判的态度。向来一般的看法，都以为中国是闭关自守的古国，这种见解，不用说，只有一定程度的正确性，因为中国并不是完全和世界隔离起来。这从文化的演变史来看，也是毫无疑问的事实。魏晋以后佛教的输入，在哲学史、文学史上都曾有过历史上所没有的影响力。然而中国毕竟有了历史上的各种因缘，中外文化的交流确也不是经常的现象。中国文化和地中海文化和西欧文化是远隔着的。而中国的邻国日本、朝鲜，又都是中国文化的模仿者，因而慢慢的养成了一种自尊自大的精神。“以夏变夷”可以说是由来已久的观念。一直到十九世纪中叶中英鸦片战争以后，这迷梦才被打破了，我们才逐渐知道自己并不如人，经济、政治、思想、文学、艺术都不如人。自康有为变政以来，国内思想界的变迁说明着这种对外观念的演化。

一种古文化到了崩溃的时候，大抵经过两条道路，新的因素然后孕育出来。一是批判传统的思想（也许因为着重于批判这一点罢，在早期文化运动中，过于贬低了它的价值，也是难免的事）。二是吸收外国的文明。前一法是排泄法，后一法是注射法。由排除废物到注入补料，这就是新生的开始。

鲁迅是“五四”以后提倡吸收新文明取法欧美的一个最勇猛的先觉者。他要我们大胆地取法西洋，完全斩断一向的恶根性，要我们知道今不如古，或今不胜于古，并非今不仿古，而是不能独出心裁、取异国的情调的缘故。中国须大胆地反对以夏变夷的古道，而要有以夷变夏的雅量。其实以夷变夏，或明白些说，取材异域，也还是一种古道。中国的强大莫过于汉唐，而恰在这两朝里，对于外来事物，才自由使用绝无顾虑。汉朝的海榴、海红花、海棠、海马，海即洋，都是舶来品。宋朝的文艺就有点两样了。对于外国的东西，什么也怕，但中国的处境也正在倒楣的时候。所以叫喊着保存国粹的人大抵是病者和弱者，国粹就是他们的宝贝。这像一个病人，对于食品，什么也怕入口，想出了许多害胃伤身的戒条和避忌来。但戒条越多，不敢入口的食物也越多，东有戒，西有忌，这一类人物，大抵已经近于不妙的绝境了。

大凡古国的人民，总有执着固有文化的成见，钻在硬化的传统里，不肯自新，因而走向灭亡。鲁迅在早年竭力指摘了这种今不如古是今不仿古的曲说，并且在历史上寻出了自由取用外来事物是向上民族的英气的根据。那时还有一些人，对于日本的没有固有文化，没有大思想家、大科学家，加以嗤笑，而他又反过来以为正因为日本的习染不深，对于外物，容易接受，因而也适合于生存。（他所指的是比封建文化进一步的资本主义文化。自然日本文化在其发展过程中又曾转化为法西斯主义文化，这也是他所论及的。）至于独创的文化，是在取法模仿之中出现的。总之没有通达宽宏的胸怀，对于新的事物，偏多忌讳，大抵其国度、其人民，是已经到“应该去的地方”去了。所以执着成见，戴着国粹眼镜，是硬化了或走向灭亡的路去的民族的必然的趋势。

固然，容纳新思潮、取法外国文明是必要的，但所容纳的、所取法的究竟是怎样的思潮和文明呢？在“五四”时代鲁迅认为是东欧和西欧的叫喊和反抗的作品，是“偶像破坏的大人物”，是拜伦，是雪莱，是果戈里，是显克微支，是易卜生，是达尔文，所以呐喊者、革新者、破坏者、民主主义者、爱国主义者，是鲁迅在早期文艺运动中所崇敬、所介绍的对象，而这些也正是那时中国所缺少的、所必需的。

鲁迅早期翻译过俄国阿尔志跋绥夫的《工人绥惠略夫》，那部小说译成于一九二一年。据说这书的底本是中国对德宣战后当教育部整理上海德商俱乐部里的德文书的时候挑出来的。从一堆德文书里选出了这本书，并且翻译出来，这有什么意思呢？

大概，觉得民国以前，以后，我们也有许多改革者，境遇和绥惠略夫很相像，所以借借他人的酒杯罢。然而昨晚上一看，岂但那时，譬如其中的改革者的被迫，代表者的吃苦，便是现在，——便是将来，便是几十年以后，我想，还要有许多改革者的境遇和他相像的。所以我打算将它重印一下……

——《华盖集续编·记谈话》

当然中国绥惠略夫在现在已经不是俄国式的绥惠略夫，变了另一种人物了。可是在“五四”之前，工人阶级尚未成为政治的领导阶级，而乡村农民又未觉醒的时候，革命并没有深厚的基础，也是历史的事实。要是说革命者在几十年以后，他的境遇还与绥惠略夫的相同，那就不是事实了。

日本文艺批评家厨川白村的《出了象牙之塔》，是一部有名的著作，这书的翻译，不但对于鲁迅的杂文，给了极大的启示，并且对于中国散文的发展也给了极大的影响。这书作者严正地揭发了本国的缺失，如尚早论，从灵向肉（即从精神向物质）等，即“微温、中道、妥协、虚假、小气、自大、保守”等，著者称这些为日本的国粹。然而鲁迅又表示他来译这书并非要揭发邻国的缺失。但为什么又动手翻译呢？也无非为了借他人的酒杯而已。因为著者所指摘本国的坏处，正打着了中国人的祖传老病，所以特地借来医治同病的国人。

药方或药料，是没有国界的，学会了医术，可以用来医治外国人，也可以用来医治中国人，一切病菌、传染病，外国人要提防，中国人同样也要提防的。

一九二九年以后，鲁迅的翻译偏重于苏联作品，文艺理论如《艺术论》、《文艺政策》，作品如《毁灭》、《死魂灵》等，都先后翻译出来。那时最先开手翻译的是文艺政策。为什么先翻译这本书呢？他的回答是：“为了我自己，和几个以无产文学批评家自居的人，和一部分不图爽快，不怕艰难，多少要明白一些这理论的读者。”使读者们、批评家们、他自己，都认真明白苏联的文艺政策、文艺理论和作品——这说法也都适合于其他有关的译书，可见那时他思想上的倾向，也可见中外文化交流在那历史时期中的特点。正因为如此，鲁迅及其他翻译者所译的苏联文学使中国读者起了共鸣和偏爱。

> 我们的读者大众，在朦胧中，早知道这伟大肥沃的“黑土”里，要生长出什么东西来，而这“黑土”却也确实生长了东西，给我们亲见了：忍受、呻吟、挣扎、反抗、战斗、变革、战斗、建设、战斗、成功。
>
> ——《南腔北调集·祝中俄文字之交》

这原因使苏联作品介绍进来了。虽然有人倡言文学是老爷的消遣品，和下等人不相干，而加以鄙视；虽然有人讥笑翻译不过是媒婆，而加以冷遇；甚至还有人指翻译者拿了卢布，而加以禁压；然而这些都是中国的“导师和朋友”，所以也得了读者的“共鸣和热爱”。

但我们怎样取法外国新文明呢？胡适之的见解是：“全盘西化”或“充分世界化”。自然对于外国文明，无批判的去接受，所谓百分之百的意义，其实是没有意义的，这是盲目的抄袭，并不是有目的的取法。至于他们所要充分同化的不过是颓废期的欧美文化，这更不是中国所应该充分取法的对象。和全盘西化论相反的，则是鲁迅所提倡的文化批判论，即对于外国文化，要有批判的取舍，取舍之后，使成为中国新文化，即是“以新的形，尤其新的色来写出他自己的世界，而其中仍有中国向来的灵魂……民族性”。这新的形和新的色，意思是说：“他并非之乎者也，因为用的是新的形和新的色；而又不是Yes No，因为他究竟是中国人。”即是，新文化运动者要有批判的眼光去输入新文明，使能用新的形式写出为本国所必须的内容，这是由输入到接受到创造的过程。例如关于木刻的制作罢，德国麦绥莱勒的版画，不一定为大众所理解，但这只要是有现实性的，技术精炼的作品，那怕只为少数研究者或画家所理解，摄取他们的手法，写出中国题材的木刻来，这也实在是合于现代中国的一种艺术。这意义推广起来，那么，小说中人物的描写，和这形象在读者中的再现，这道理也一样。描写人物，不一定要写出他的一模一样。高明的作者，有时只记着他的有特色的谈话，读者从谈话中，就可以推见这些说话的人的模样来。这作者所表现的人和在读者心目中所形成的人，《红楼梦》中的林黛玉和读者所设想的林黛玉，他们之中的关系和异同就是翻译和创作的关系和异同。

用批判的方法来接受外国文明，那么他主张欧美资本主义的作品也可以选译到中国来。为什么？因为古典的作品，和译者的经验距离很远，大抵再不能刺激译者的心。但作为一种比较研究的材料，从中可以学得作者的技术和努力。何况完全的书大抵是少有的。吸取有用的，舍去无用的或有害的，这是读者的眼力，——自然也须靠着翻译和批评家的正确的指示。赤手空拳固然不该深入山林，为虎狼所啮，但它们用铁栅围起来之后，去看看，玩赏一下，是无妨的、必须的。这做法是食古不化的对头，取了外国的滋养料，用烹饪法，做出可口的肴馔来，经肠胃消化作用使成本身的养分，这就是食外而化，新文化的创造过程也就是这样。

三 论翻译

翻译是文化交流的重要媒介，因此鲁迅也特别努力于外国作品的介绍。他所译的书在分量上还多于他的著作，也十分注意翻译的问题。他早期评严复，说严氏是

“十九世纪末年中国感觉锐敏的人”。读严复的《上皇帝万言书》，满纸颂扬着清国的德政，感觉似乎并不怎么锐敏。把这形容词和严复这人连起来，我想是和他的翻译有关的。的确认真译过欧美经济学、法学、名学的，严复是第一人。戊戌年之前，康有为、梁启超、谭嗣同等都不懂外国文。这年之后，一个牺牲了，一个颓唐了，惟有梁启超还多少保持着朝气，但梁启超的著作后来收集在《饮冰室文集》的都是著述，只有严复和林纾算是旧世纪末新世纪初中国翻译界的双璧。严复译书有三条出名的规则：信、达、雅。其实达雅可合为一，即译书技术，也即形式，而信则是译本的内容。更明白些说是译笔要做到顺，译书要做到信。严译原先是着力于达雅即顺的，所以《天演论》译得桐城气息十足。他这样的热心于求达、求雅，是因为那时留学生还不为世人所重视，以为他们只能讲鬼子话。但《天演论》之后的译书，信又重于达雅。一时以达雅为主，一时以信为主，这是严复译书先后的不同。但他后来也终竟采用以信为主的译法了。

既然名为译书，自然要忠于原著，一字也不能任意加减，而顺只不过是做到信的工具而已，所以以信为主，以顺为辅，是没有不对的。严复的《名学》、《法意》、《原富》等译书，以信为主，也很正常的。姑且不论严复的信做到什么程度，而他用古文来翻译是决不能做到顺的，决不能表达出他的所谓信的。因此严复虽然立了正确的译法，而中国罪孽重深的古文，却辜负了他的译书的苦心。正如瞿秋白所说："古文的文言怎么能够译得信，对于现在的将来的大众读者，怎么能够达。"（《乱弹·论翻译》）

严复的译书能否做到信、达、雅的标准和他所立的译法并不是一件事。严复以后的译者，大概都以他的译法为准绳的，可是到了赵景深又有新的提法："宁顺而不信"，只要文字通顺，读得懂（？）就行，而译文合于原著与否，却可以不问。宁可错一点儿，这是什么话？于是把"做马戏的戏子们的故事"，译作"马戏的图画故事"，把"银河"译作"牛奶路"，鲁迅指斥过这种翻译真是"风马牛"的翻译，真是"乱译万岁"。至于造谣翻译却不妨说是乱译的支流或另一发展。既然立心要瞎着眼睛译得不信，那不是造谣是什么呢？例如关于苏区的刑法的报导罢，据外报造谣记者的记载，苏区对富人施用铁丝穿手刑。可是这刑法所用的铁丝，农业社会是没有的；他们把中国乡村所没有的东西硬栽于苏区，但这文明刑法，甚至于上海翻译者也不懂，于是硬造了“以针穿手，以秤秤之”的阎王殿上的刑法了。元朝有一个和尚去告状追债，而被告人串同通事，把他的状子改成自愿焚身，于是原告人被推入烈火之中。不信的译文不但使人走入了迷途，并且使人忘却了真，相信了错，并且使人遭杀身的灾祸。这造谣翻译和元朝译官的做法，可谓异曲同工。

这两种译法之外，还有鲁迅所提倡的“宁信而不顺”的译法。这不顺或容忍着多少的不顺的论法，曾引起过翻译界的辩论。瞿秋白不赞同这种提法，以为翻译者的译书，应当用完全的白话来译，因为用活的语言来直译原文，使读者所得的概念就是原书的概念这意义以外，还有别的作用，就是造出新的字眼，新的句法，新的表现法，来帮助现代中国的新语言的发展。乍看起来，这是两种翻译的主张，然而这只是字面上的解释而已，其实他们两人的所见，并没有原则上的不同。问题在于不顺这点上，鲁迅的所谓不顺是什么意思呢？

自然，这所谓“不顺”，决不是说“跪下”要译作“跪在膝之下”,“天河”要译作“牛奶路”的意思，乃是说，不妨不像喝茶淘饭一样几口就可以咽完，却必须费牙来嚼一嚼。这里就来了一个问题：为什么不完全中国化，给读者省些力气呢？……我的答案是：这也是译本。这样的译本，不但在输入新的内容，也就在输入新的表现方法。中国的文或话，法子实在太不精密了，作文的秘诀，是在避去熟字，删掉虚字，就是好文章。讲话的时候，也时时要辞不达意，这就是话不够用，所以教员讲书，也必须借助于粉笔。这语法的不精密，就在证明思路的不精密，换一句话，就是脑筋有些糊涂。……要医这病，我以为只好陆续吃一点苦，装进异样的句法去，古的，外省外府的，外国的，后来便可以据为己有。

——《二心集·关于翻译的通信》

中国的文法，比日本的古文还要不完备，

> 然而也曾有些变迁，例如《史》、《汉》不同于《书经》，现在的白话文又不同于《史》、《汉》；有添造，例如唐译佛经，元译上谕，当时很有些“文法句法词法”是生造的，一经习用，便不必伸出手指，就懂得了。现在又来了“外国文”，许多句子，即也须新造，——说得坏点，就是硬造。
>
> ——《二心集·硬译与文学的阶级性》

这所谓不顺，就是新的表现方法，即读者未习用未据为己有的新造的文法、句法的意思，所以这论法和上文所引瞿秋白的话，是没有二致的。在这意义上，我想二人的所见原则上是相同的。但也不是说完全没有区别。区别是有的，瞿秋白所说的是翻译的原则，所以提出了“绝对的用白话做本位来正确的翻译一切东西”的方法，而鲁迅所说的是翻译的表现法，所以力倡翻译必须“一面尽量的输入，一面尽量的消化、吸收，可用的传下去了，渣滓就听它剩落在过去里”。但是输入、消化、吸收，是一个实验的过程，什么可用，即可消化、可吸收，什么不可用，即可舍弃、可淘汰，这有待于自我批评。所以硬译有两种，有新造的句法使人一时感觉异样的所谓硬译，有的确可舍弃的生硬句法的硬译。第一种其实并不硬，第二种才是硬译，所以在自我批评中应当被淘汰。但也有例外，他主张中国即使没有完全正确和完全白话的翻译，次等的，即只做到正确，还没有做到完全口语的，也可以。这是就事论事的说法。而对于坏的译本，也不能一笔抹煞。一种译本决不会完全都译错，其中一定还有有益于读者的地方，那时候，只好用吃烂苹果的方法，即指出这苹果有烂疤了，但还有几处可以吃得。对于要澄清中国翻译界的英雄们，他又揭发了只可翻译的人都跳高了一级，做教授或学者去了，出版界成了荒芜，于是山中无老虎，猴子也称王，所以要来澄清翻译界，最好是大家都降低一级，来试译一下。

翻译有两种：直译和重译。读书界鄙弃重译的人是不少的。自然重译不如直译，译文要达出原作的概念，又要保存原作的精神的只有是直译，重译隔了一重手，在概念上和文章风格上自难求得百分之百的意义。但是鲁迅对于翻译，认为最要紧的还不是直译或重译，而是要看译文的好坏，尤须有批评者，好的就培植它，坏的就删除它，所以必须放宽翻译的路，着重批评的工作。并且还有这样的事，中国译者所根据的底本，大抵以英日文居多，不来重译，我们就只有英日的文学，这是何等贫乏的翻译界！为着补救重译的缺点，可以提倡复译。但又必先打破不能容纳一种原本有几种译本的成见。其实就使好的译本，再译一次，也有必要的，这是使译本近于完全的定本的阶梯。这里他又还元到思想启蒙的问题上来了。只有输入外国的思潮，翻译世界的名著，使青年们获得国外的精神粮食，才能够埋葬“声哑的制造者”的毒策，鲁迅对于翻译不求全责备，也是从这观点出发的。

四　孔子的批判

关于中国文化史的批判，因为儒学在中国思想界支配了二千多年，论理儒学是一个主题。对于孔子，“五四”时代的批评家们大率都采着否定的态度。那时的批评家，并非用历史的观点来评孔子，而只着重于评论孔子的思想和现代生活的关系，把孔子完全否定了。但儒学的起源和儒学在封建社会中的发展，这是有历史的必然性的。鲁迅晚年所写的《在现代中国的孔夫子》，最先在日本《改造》杂志上登出。这篇文是为了日本在汤岛建筑圣庙而写的，这里他是用历史的观点来看孔子的，虽然他的批评，不是历史家的批评，而是文化评论家的批评。他以为自孔子以下春秋战国时代的儒者，一面游说王公，要想做官，一面又用天道来压服人主，都是一人之下万人之上的帮闲者。又讽刺孔子栖栖皇皇的奔忙于山东道上，是颇滑稽的事。但孔子在当时是不得其志的，不但为公侯所摈弃，为权贵所轻视，并且为野人所包围，为暴民所袭击。他叹着“凤鸟不至，河不出图”，叹着“天丧予”，叹着“道之将行也与，命也；道之将废也与，命也”。所以孔子到了“甚矣吾衰也”的时候，而其道依然不行，到了“吾老矣”依然是不能用的。

还有更重要的一点，为鲁迅所特别强调的，是孔子的不遇中最可悲哀的是民众对于他的疏远。民众虽然称孔子为圣人，却并不尊他为圣人；对于孔子，是恭顺的，却不亲近。更可哀的是青年小子对于孔子的隔膜。后生可畏，这是孔子的赞词，但偏于后生们要“打倒孔家店”，要“绝望于孔子和他的之徒”，要“废孔孟，铲伦常”。

然而孔子也有过宠遇的时候，而且这时候是很久的。这是孔子做了“圣之时者也”以后的事。种种的权力者都用种种的化装品来涂饰他的脸，并且把他抬到吓人的高位上。固然孔子被抬起来，是因为他也曾计划过出色的治国平天下的大计。这事由汉武帝的罢黜百家开其端，于是孔子戴上一个“大成至圣文宣王”的纸糊高冠，于是天下士子，都读孔门所著的书，都发他们所发过的议论。然而权力者的提倡读经尊孔，并非他们对孔子怀着什么特别的敬意，只是使他老人家当着敲门砖的工具而已。袁世凯曾经用这砖头去敲过帝制的门，孙传芳、张宗昌也用这砖头来敲过别的幸福的门。然而袁世凯、张宗昌、孙传芳、何健、陈济棠之流，何尝读过“四书五经”，即使读过，又何尝读得懂，何尝有心得。这的确是使人觉得滑稽的事。并且时代早已不同了，所以他们都失败了。但事情不只如此，还连累了孔子也陷入了悲惨的境地，因为人们要攻击他的念头也就越发炽烈了。自然，孔子原是敲门砖，给权力者来利用的，虽然到了现代就陷入了悲境，但实在也算不得冤枉。

他又从历史上来追溯孔子遇与不遇的故事。孔子的这些遭遇显然是有历史渊源的。春秋战国是由奴隶制转化为封建制的过渡时期，所以孔子的政论为地主们所接受，也为奴主们所排斥。秦汉以后，是封建时代，权力者从孔氏遗书中，找着了有利于他们的言论，而孔子在二千多年中，成为大成至圣。但在近代的中国出现了新的社会关系，新的思想道德，新的生活习惯，而孔子的思想又为革命者们所批判了。

孔子有他的贤人政治的理论，他称道尧舜的禅让，要为天子的人，恭己正南面而治。他的门弟子到后来把他这种托古作制的理想政治，修正为修齐治平的实际的官僚政治。他们更力说家庭为社会的基础，先有曾参，后有《孝经》，提倡孝的思想，把孝字包括了人生的一切，而孔子的理想的人格——仁就变了质，行孝即所以行仁，不说你要做人，就该怎样，而不该怎样；却说你要做孝子，就该怎样，而不该怎样。于是我并不是我，而只是我的父母的儿子而已。最可代表这种思想的是《二十四孝图》，这是鲁迅少年时代他的前辈用来陶冶儿童的教材。子路负米、黄香扇枕、陆绩怀橘等，有志于为孝子者，负米、扇枕或怀橘，还是可以勉力去模仿的。但还有“哭竹生笋”，或“卧冰求鲤”，使你的精诚去感动天地，不只要你无病呻吟，而且要你有性命的危险。

更使人不解或甚至于起了反感的是老莱娱亲。一个年到耳顺的老头子，身上穿着五色斑斓之儿衣，手里拿着摇咕咚，作婴儿戏，这是一幅何等无趣的图画？一个人要做些有益的事业，但如今竟是终年无聊地拿着一个摇咕咚的人。还有一层，“这东西是不该拿在老莱子手里的，他应该扶一枝拐杖。现在这模样，简直是装佯，侮辱了孩子”。

最不合理的是郭巨埋儿，为了儿子分去母食，要保存着这迟暮，于是掘了窟窿把青春也埋掉了。用这样不近人情的孝义来教育后辈，结果是不但使幼者绝望于做孝子，并且教他们觉得与老者势不两立，培植了他的仇长的心理。

孝的思想之外，这二千多年来，在中国，影响最大的是中庸思想。孔子常教人要无过无不及，要适可而止，即生活要不求饱、不求安，对人要无谄无骄，而夫子自况是“温而厉,威而不猛,恭而安”。这些都是中庸思想。后来孔子之徒又发挥了此义,《大学》的所谓“正”,《中庸》的所谓“和”，就是中庸的注释。

什么是正呢?

> 身有所忿懥，则不得其正；有所恐惧，则不得其正；有所好乐，则不得其正；有所忧患，则不得其正。

正就是不忿懥、不畏惧、不好乐、不忧患，即心平气和，愉颜悦色。

什么是中呢?

> 喜怒哀乐之未发，谓之中；发而皆中节，谓之和。中也者，天下之大本也；和也者，天下之达道也。

但这“中”又比“正”进了一步。事实上，人不能没有表情，像一个木偶似的人，感情的流露既已不可遏止，也惟有使它纳于正轨，“发而皆中节”，无过也无不及。

这种为人的方法，到后来就发展为折衷、调和、投机、取巧，成了某种人的处世良训。这在实际上表现出来的就是明明是现代的人，却又崇奉陈腐的思想；既是民国的人，又骂创造民国的革命者为乱党；学了外国的时务，来保存中国的国粹；想做仁人义士，但自己却又不拔一毫；要享革命者的名声又不肯忍受革命者所难免的牺牲。——总而言之，是二重甚至于多重思想在那里作祟，于是这些多重思想的信奉者，就成了矛盾的人。而最永久最普遍的是男人扮女人。这艺术的精义是扮一扮，使人看来是中性，而其实是有性的。总之，什么都扮一下，“宪政”也来一下子，表面上扮了新式的选举人和被选举人，而实质上还是旧式的秀才和举人。外交也扮一下，一面交涉，一面抵抗，这面看来是交涉，那面看来是抵抗，但其实只有交涉即屈伏而已。

对于中庸，他特别指摘的，是作为中庸的变种的折衷论。拿着两面光的手段，来折衷调和，来投机取巧，他认为这是中国社会所以不进步的重要原因。

第九章　古文学的研究和著述

一　中国小说史的著书

鲁迅研究中国古文学的最大业绩之一是他著述小说史。《中国小说史略》出版于一九二三年，三〇年又出版改订本，第十四、十五、二十一各篇有过部分的订正。初版《序言》上记著作本书的由来，说：“此稿虽专史，亦粗略也。然而有作者，三年前，偶当讲述此史，自虑不善言谈，听者或多不憭，则疏其大要，写印以赋同人；又虑钞者之劳也，乃复缩写为文言，省其举例以成要略，至今用之。然而终付排印者，写印已屡，任其事者早劳矣，惟排字反较省，因以印也。”一九三〇年改订本出世的时候，对本书又发生感慨：“大器晚成，瓦釜以久，虽延年命，亦悲荒凉，校讫黯然，诚望杰构于来哲也。”

诚然，小说史的杰构，还有待于后来学者的继续钻研，因为唯物史观的小说史，还是一种新兴的学问。虽然这书里面有很多论点，都合乎新史学的基本原理，但他写此书的时候，并未有意识的以新史学为批判的基点。并且此书如果写于一九三〇年以后，那时鲁迅又有著作小说史的余暇，我想他一定写出一本更好的书。然而细读此书，作者对于中国小说史，确有不少独到的见解，加以对于小说史料的校订辑录，汇集起来，确是小说史的大事。

本书二十八篇，由神话传说的《山海经》、《穆天子传》，到清末曾朴的《孽海花》，前后二三千年中的小说，都包含在这梗概里面。

治小说史至少有四个问题必须处理：一是小说的作者和版本；二是小说故事的演变；三是小说的社会价值的评判；四是文学价值的评判。作者和版本所以成为问题，这是有缘故的。中国的语文不一致，这几百年来，白话文学很流行于民间，而文学作品中有价值的也并不是唐宋八家的模仿者的古文，而是白话小说《水浒》、《红楼梦》、《儒林外史》等。但白话小说的作者不一定是有意在提倡白话，或由于应试不中，或由于官位微贱，或由于身世萧条，写小说以消遣消愁的，大有人在。他们往往不肯在自己的所谓街谈巷议，道听途说的小说中署真姓名，流传既久，于是连作者也没有人知道了。（还有因年代久远或者一部小说经过几重手才写成等等，也是重要的原因。）宋元以前的小说不用说，明清以来的几部流传最广的小说作者，不是打过不少笔墨官司的吗？版本也往往因了抄写、续补、伪造，而使后人真伪莫辨。一部《水浒传》有六种版本（一百一十五回本、一百一十回本、一百二十四回本、一百回本、一百二十回本、七十回本等），还有《续水浒传》;一部《红楼梦》，有八十回本、有一百二十回本，还有几种《续红楼梦》。鲁迅对于小说作者和版本的问题，即关于作者的身世、阅历、思想、其他著书等，关于版本的先后、优劣、原本或改本、真本或伪本等，到处加以研究考订，博引典籍。鲁迅的工力，读者在每篇都可以看出来，我也不必再举例了。

明清小说最著名的五六种如《三国演义》、《西游记》、《水浒传》等，都是长篇历史小说。一部历史小说出世，必经过若干年代，先有某些史事，流传于民间，因了人们的注意、点染，成了传说，成了小说故事，于是文学家把这些故事汇集起来。例如《三国演义》，先有陈寿《三国志》关于三国的记事，再有《五代史平话》中的三国传说（如汉高祖杀戮功臣，天帝令他们托生作三个豪杰，分了汉的天下），再有《三国志平话》，还有金元杂剧中的三国时事，于是有一位罗贯中出来，取材上排比陈寿《三国志》和裴松之的注，也采用平话而推演其意，论断上则取陈裴和习凿齿、孙盛语，且引史官和后人的诗，结果推翻了许多历史成案，写了一部在中国流行最广的小说。（第十四篇）《西游记》虽然是一部神怪小说，但也由唐玄奘取经记事演绎出来的。做这演绎工作的先有元刊《大唐三藏法师取经记》，继起的有明《四游记》（即《上洞八仙传》、《华光天王传》、《玄天上帝出身传》、《西游记传》）。其实杨志和的《西游记传》，已近于《西游记》全书，只是文学技术较为幼稚粗疏而已。于是吴承恩出来结集，并加以润色，至于翻案挪移，则取唐人传奇，讽刺揶揄，则取常时世态，写成一部讽世的神话小说。（第十七篇）《水浒》故事的演化也同样的。宋史（正史稗史）有宋江等的记载，宋江实有其人。后来宋遗民龚圣与作《宋江三十六人赞》，又有《大宋宣和遗事》，还有元人杂剧中的《水浒》故事，于是主人公由一人而三十六人，而一百〇八人，又有人起而荟萃起来并加以取舍，使成较有条理的巨制，这就是后来的大部《水浒传》。（第十五篇）

用这种历史方法来研究小说故事，有两种好处。第一，可以看出结集的人的文学才能，社会眼光；第二，可以由故事的流传而看出社会人心的向背。《水浒传》，一百一十五回本先出，一百回本后出，然而先出的版本，其文辞拙直，体制纷纭，中间的诗歌，也多鄙俗。后出的就不同了。文辞大有删改，除去恶诗，增益骈语。《西游记传》的文辞荒率，仅能成书，比《西游记》相去太远了。宋人说《三国》"闻刘玄德败，频蹙眉，有出涕者，闻曹操败，则喜唱快"，这种传统见解，对于罗贯中的扬刘抑曹，也是有力的。《水浒》故事流行于南宋和元，这是因为当时民间期望有草泽英雄，出来推翻本族和异族的反动政府的缘故。

考证作者和版本，研究小说故事的演化，在于辨别古书的真伪，寻出小说的成因。而对于本书的社会价值和文学价值的评判，这才是文学批评史的本题。鲁迅在《中国小说史略》上，对于每种小说的价值的批评也特别用力。

先说小说的社会价值的评判。

一切文艺作品都是作者的世界观的表现。文学家表现他的世界观，不同于科学家，只是他所用的是形象的方法而已。《水浒传》有六种版本外，还有《后水浒传》和《续水浒传》,而模仿《水浒》的又有《三侠五义》等，但是一书的正续或模仿，都可反映出作者的不同的世界观：

> 清初，流寇悉平，遗民未忘旧君，遂渐念草泽英雄之为明宣力者，故陈忱作《后水浒传》，则使李俊去国而王于暹罗。（见第十五篇）历康熙至乾隆百三十余年，威力广被，人民慑服，即士人亦无贰心，故道光时俞万春作《结水浒传》，则一百八人无一幸免，……然此尚为僚佐之见也。《三侠五义》为市井细民写心，

> 乃似较有水浒余韵，然亦仅其外貌，而非精神。时去明亡已久远，说书之地又为北京，其先又屡平内乱，游民辄以从军得功名，归耀其乡里，亦甚动野人歆羡，故凡侠义小说中之英雄，在民间每极粗豪，大有绿林结习，而终必为一大僚隶卒、供使令奔走以为宠荣，此盖非心悦诚服，乐为臣仆之时不办也。
>
> ——第二十七篇

两本《水浒传》的续书，代表两种不同的世界观，一是代表明末遗民对于旧主的怀念，想着有草泽英雄出来光复旧物者。《结水浒传》写于清室极盛的时候，文人们只好歌颂功德去了，所以梁山泊的头目，“非死即诛”。至于《三侠五义》的所谓侠客,似乎也是安良除暴，替打不平的人，但是他们必以一大官员作中枢，这人或包拯、彭公或施公，于是当着奴才，为天子效劳去了。

《红楼梦》是一本什么书呢？所谓“树倒猢狲散”，“食尽鸟飞独存白地”，正是中国大的旧家庭的写生，而作者身历其境，又是写生的妙手，所以写了一部有价值的书。高鹗的后四十回续本，虽然也记贾家“大故迭起，破败死亡相继”，但宝玉终于应乡试，以第七名中式，后来虽亡去，仍是一个披大红猩猩毡斗篷的和尚，家破人亡了，还中了举，做了和尚，还披着大红猩猩斗篷，可见还是不凡的人的家。这结局是和高鹗的身世相符合的。高鹗续《红楼梦》时，未成进士，颇觉颓唐，对于曹雪芹的身世，自有同感。但他的心志未灰，和所谓露出那下世光景来的人则又大相两样。因此续书虽似悲凉，但贾氏终于兰桂齐放，家业复兴。而其他的续作，大抵自欺欺人，无中生有的造出故事来，使贾家或中国旧家庭的缺陷，一经文人润色，什么缺点似乎也没有了。即这些作者承高鹗的续书而更补其缺陷，以团圆作结，甚至说作者本以为书中没有一个好人，因而钻刺吹求，大加笔伐。同是一书的作者，而所见如此不同，这足见人们的识见的悬异，更是曹雪芹所预想不到了。（第二十四篇）

《西游记》是一部“讽刺揶揄”“当时世态”的，或“使神魔皆有人情，精魅亦通世故”，而寄“玩世不恭之意”的书，所以虽然满纸荒唐言，但也有深意。（第十七篇）

然而这一类神魔小说，又发挥了三教同源说，谓儒、释、道，其实一体，互相容受。《西游记》说释迦和老君同流，真性和元神杂出，使三教之徒，都可随意附合。董说的《西游补》，也推演此意，谓行者有三个师父，一是祖师、二是唐僧、三是穆王（岳飞），凑成三教全身。（第十八篇）许仲琳的《封神传》也时出佛名，偶说名教，混合三教。（同篇）

再说小说的文学价值。

社会价值是文学的内容，文学价值是文学的形式。某种内容必须附着某种形式，所以好的内容，必须好的形式来表现。只有好的内容而没有好的形式，也不行的。所以考察作品内容及其形式是文学批评的主题。如《儒林外史》，其内容是“秉持公心，指擿时弊，机锋所向，尤在士林”，而形式又是“戚而能谐，婉而多讽”，这是内容形式都佳者，所以能够烛幽索隐，使百物不能遁形，凡官师、儒者、名士、山人，也有市井细民，都活现于纸上。有了这书，说部中然后有足称为讽刺的书。（第二十三篇）

但也有文学形式不能全适合于其内容的，如清末谴责小说，《官场现形记》、《二十年目睹之怪现状》、《老残游记》、《孽海花》等，虽然也能够揭发人间的阴私，暴露社会的弊害，对于时政也加以弹劾，更扩大而至于风俗，但其文辞浮露，笔无藏锋，甚而在描写上言过其甚，使文学内容和文学形式两不相称，也是有损于作品的价值的。

还有一类小说，其内容并不佳，而其技术却佳者，如《聊斋志异》，虽然只记着神仙、狐鬼、精魅的故事，但作者蒲松龄却是清初一个大古文家，即用文言，也能有委曲的描写，井然的层次，用传奇法写出鬼怪变幻的形状，又叙述畸人异行，出于幻境，顿入人间，偶述琐闻，也多简洁。而《聊斋》的模仿者纪晓岚的《阅微草堂笔记》，同以文笔见长者，因而也能用鬼神以揭发人间的幽微，假狐鬼以排遣自己的寄意，隽思妙语，足以解颐。其中考辨，也有作者的真意。而叙述又雍容淡雅，天趣盎然。这都是难得的佳构。（第二十二篇）至于《野叟曝言》立意既已怪诞，而文笔又觉无味，不足以称为艺文，因为内容形式都坏，结果也一无足取了。

二　小说史料的辑录和整理(缺)

三　研究中国文学史的根本问题

小说史写成以后，鲁迅又预备着编著文学史。在一九二六年九月至二七年七月间与景宋的通信上，常提到这个问题。大概鲁迅对于编著文学史早已下了决心，而且叫书名为《中国文学史略》。又以为文学史的范围太大，编起来恐怕费事，而厦大的藏书不多，编起来更为不便。又以为厦门不宜久居，而教书和做文章确有势不两立的趋势，所以心里有着犹豫不决的两事，一是写文章，二是教书编讲义。然而他终于决定了写作和研究同时并进的旨趣了，但也有轻重，或者以写文章为主，或者以研究为主。

这之后，另外的战斗任务把鲁迅研究文学史的时间占去了，这书终于写不成，而留下来的文字中专讲文学史的，只有汉魏晋文学的部分，《花边文学》、《南腔北调集》里面也有关于文学史的某些断片，此外就没有了。可是鲁迅虽然没有留下一本完整的文学史，但对于文学史的研究，却曾写过极有价值的意见。

先说两个研究文学史的根本问题。

> 我们想研究某一时代的文学，至少要知道作者的环境、经历和著作。
>
> ——《而已集·魏晋风度及文章与药及酒之关系》

> 人感到寂寞时，会创作；一感到干净时，即无创作，他已经一无所爱。创作总根于爱。杨朱无书。创作虽说抒写自己的心，但总愿意有人看。创作是有社会性的。但有时只要有一个人看便满足：好友、爱人。
>
> ——《而已集·小杂感》

这里最可注意者，是关于作者的环境、阅历和作品的关系。鲁迅用了文学是生活的反映这个原则来研究魏晋的文学。曹氏父子是魏初文学的代表者，他们对于文学主题，力主：清峻、通脱。因为汉末大乱之后，大家都想做皇帝，为纠正这风气，必须清峻，即简约严明；又因为当时大家都讲清流，成了固执，也必须通脱，即随随便便。曹氏之后，文坛上出现了一些名人如何晏、王弼等，世称正始名士。他们常出门游散，穿着宽大的衣服，散着头发，又不鞋而屐，不洗浴，又居丧无礼，性情暴躁，这是因为吃五石散的缘故。这种药吃了后必须散发了才有功效，所以不能不走路，名曰行散。药性发作之后，全身发热又发冷，非脱衣不可，也不宜穿鞋袜，衣服也不宜常洗，并且也不能肚饿，于是也不拘礼节，所以正始名士的举动非常可怪，那是吃药的结果。而这种怪的举动也常常反映到他们的文章上来。何王之外，又有名士阮籍、嵇康、刘伶之流，他们都是酒徒，举动很随便，不拘礼节，并且装傻装死，这是因为他们生于乱世，不得已然后如此。他们之蔑视礼教，并非其本意，实在是由于暴君利用礼教，杀戮了反对自己的人，以为这是污辱了礼教，无计可施，方才反对起来的。喝酒，放浪不羁，随遇而安的还有陶潜，被称为田园诗人。但陶潜也并不忘于政治，远于人俗，对于世事，仍然是很关心的。

这是从作者的环境、经历来评判他的作品的。论魏晋文学的环境，社会的扰攘，野蛮民族的侵入，佛学的输入中国等，是主要的因素，鲁迅用了这观点去探求那时代的文学，尤其把酒、药、环境和文章的关系，说得非常生动，真是说出别人没有见到的话。固然全面地研究魏晋文学或中国文学史，在他的启示和成绩上，还有待于后来学者的继续努力，然而鲁迅已写了有价值的著作。试把这篇演讲和胡适之的《白话文学史》中关于魏晋文学一章比一比罢，真是截然两样的著作。胡适之研究汉末魏晋的文学，极重视文学形式的变迁，以为民歌“在几百年的时期内竟规定了中古诗歌的形式体裁”，于是肯定以曹氏父子为中心的所谓建安正始时期的文学运动的主要事业“在于制作乐府歌辞，在于文人用古乐府的旧曲改作新词”。然而这只是文学体裁的变迁而已，更重要的还是依谱填词的词（不外是歌颂新朝的功德），即文学内容。胡适之又以为文人仿作民歌生出了两种结果：一是文学的民众化，二是民歌的文人化。所谓民歌的文人化，自然是民歌成了“高等文人的文学体裁”。其实就是文学的民众化也同样是高等文人窃取了民间文学形式而灌注他们的思想，这和民间文学依然是两样的。所以仅用白话或较接近于白话的文字来写诗作文，不一定是民众化的文学。胡适之又说阮籍是一个崇信自然主义的文学家，陶潜是“自然主义的哲学的绝好代表者”，“平民的诗人”，这都是一面或笼统的看法，无从窥见阮陶的全体的。

研究文学史的第二个根本问题是全体论，或全人论，即评论诗文，必须顾及全篇以及作者的全体。出版界有不少选本家和选文家。自然选本也有好处，选本选得好，可使读者知道某人某事的主眼。但可惜选本所显示的却往往是“选者的眼光”，而并非“作者的特色”，并且偏多昏庸的选家，于是古人古事就给他们所腰斩所涂抹了，而研究文学可用的选本，也就不可多得的了。“屈原、阮籍、李白、杜甫，都不免有些像金刚怒目，愤愤不平的样子。陶潜浑身是‘静穆’，所以他伟大”，这是朱光潜的美学。“老庄是上流，泼妇骂街之类是下流，他都要看，只有中流，剽上窃下，最无足观。”这是林语堂的评论。对于静穆说（即以静穆为诗的极境），他认为论文艺，而虚拟了一个极境，是要陷入于绝境的。至于剽窃说（即以剽窃为不足观）则又认为也不能一概而论，因为同是剽窃，有取了好处的，有取了无用之处的，也有取了坏处的，应当有所区别。

还有一层，作者的这一面固然要知道，和他有关的文字，即和他同咏过或争辩过的人的文字，也要知道。在这人世上，战斗的作者一定是有论敌的。有正面才能映出反面，有真实才能显示虚伪。所以这些文字也必须顾及，然后知道彼此的价值如何，立论的根据何在，不然，放过这些，只读了一面的文学，无可比较，其结果，凡所写的，因不知出处，令人不知所云了。

文学史里面的俗文学，也为鲁迅所重视。《诗经》的《国风》，以至后来的《子夜歌》、《竹枝词》，都是民间的文学，经文人的辑录、修改，而流传于世的。由现今的眼光看来，幼稚是难免的，那是古今知识程度不同的缘故。但民间文学，是“刚健清新”，末世的文学，因取了它为养料而新生的，是常有的事。

《无常》和《女吊》，是两篇民间戏剧，经鲁迅的采录，而留传下来。这两篇虽谈鬼物，但都在人间。无常是阴间的裁判官。人间的糊涂裁判官，触目皆是，但一看阴间的无常却又何等正直，何等可爱：

那怕你，铜墙铁壁！

那怕你，皇亲国戚！

人死了，一双空手去见阎王，于是，惯于被压迫被践踏的老百姓，在不知不觉中，对于这“鬼而人，情而理，可怖可爱”的无常就亲密起来，并且在戏场上发见了他们的理想乡了。而《女吊》里面对于报仇的鬼魂，和乡民对于报仇的心理，有更大的意义。“奴奴本是杨家女，阿呀，苦呀，天哪！”这是女吊前生境遇的自述。一生受尽了苦楚，苦诉无门，只得仰天哭泣，怀着这种心情，于是她去报仇，去讨替代了。但村妇们对于女吊并不恐惧的，除非她已经忘记了复仇而单单去讨替代。这复仇的心理以及村姑们对于复仇的感应，是有识力的无名作家，提炼了农民社会的观念而写的佳作。

绍兴的民间文学，得着鲁迅的大笔的点染，是更有光彩而且永远不朽了。且正是民间文学，帮忙的文士于是动手来改削了。

士大夫是常要夺取民间的东西的，将《竹枝词》改为文言，将“小家碧玉”作为姨太太，但一沾着他们的手，这东西也就跟着他们灭亡。他们将他从俗众中提出，罩上玻璃罩，做起紫檀架子来。教他用多数人听不懂的话，缓缓的《天女散花》，扭扭的《黛玉葬花》，先前是他做戏的，这时却成了戏为他而做，凡有新编的剧本，都只为了梅兰芳，而且是士大夫心目中的梅兰芳。雅是雅了，但多数人看不懂，不要看，还觉得自己不配看了。

——《花边文学·略论梅兰芳及其他（上）》

鲁迅深恶痛疾民间文学的被夺取、被涂改、被强奸，使民间文学成为庙堂的清品。当然民间文学必须有一番改作，但也必须排除士大夫们的强暴或窃取的计策，而用新的方法改为更合于他们生活的新艺术。所以吸取俗文学的精华，这不但对于研究文学史有意义，对于创造中国新文学，也有很高的价值。

四　历史小说

小说之上加上历史二字，这是说从历史上采取题材，再加作者的文学意境，而成的作品。鲁迅在中国新文学上也是历史小说的提倡者，第一篇试作是《补天》，后来把所有历史小说八篇辑成《故事新编》一书。

鲁迅开手试写《补天》是在一九二二年，一九二六年底又写成《奔月》和《铸剑》两篇。不久又搁了笔，直至一九三四年秋才写了《非攻》一篇。其他的四篇《理水》、《采薇》、《出关》、《起死》，写于一九三五年的冬季。这八篇小说，写得最精采的是《非攻》以下五篇，立意深广，技术精炼。《补天》以下三篇，《奔月》的寄意最好，文字也最美丽，女娲炼石补天的一篇，有些似乎看不懂，《铸剑》的后半也有不可理解的部分。

鲁迅以为历史小说可有两种：一是“博考文献，言必有据者”，名曰教授小说；二是“只取一点因由，随意点染”者，名曰历史小说。《故事新编》的八篇都拾取了一些古代传说或史事，随意加上自己的意想而成的，近于第二种。不过我们不当它是历史故事，而当它是文学作品，也自能发见这里面有许多对于人生问题的启示。鲁迅说："自己的对于古人，不及对于今人的诚敬，所以仍不免时有油滑之处。过了十三年，依然并无长进，看起来，真也是'无非《不周山》之流'；不过并没有将古人写得更死，却也许暂时还有存在的余地的罢。"（《故事新编·序言》）对于古人古事，随意点染，人们也许以为这是历史小说的缺点罢，但言必有据，我们尽可以去读历史（其实中国史书，也并非都言必有据者），所以我以为这正是《故事新编》的优点。特别可注意者是"并没有将古人写得更死"一点，这意思是说，不是把古人写成毫无生气的人物，而是用时代的精神，使他们更活泼、更生动了。《非攻》以下五篇都是如此。《起死》一篇，写出一个随随便便，通融圆滑，自以为生死不分，人兽无别，无是无非，无他无我的庄周。《采薇》一篇写出两个孤竹国的义士，孤竹君的世子，不识时务者，老人、古董、怪物、傻瓜——伯夷和叔齐。《出关》里刻画出两个人，一是"无为而无不为的一事不做徒作大言的"，因而只得"走流沙出函谷"的"空谈家"，一是“知其不可为而为之的事无大小均不放松的”，因而也只得“上朝廷做摩登圣人”的“实行者”，这就是老子和孔子。还有《理水》里不守家法、不依父行、反对湮、主张导、每天劳作、终于疏通了九河的大禹。还有一位墨子，这是言行一致的非战者、蹈汤赴火的苦行者、实际主义者、兼爱利他者、政论家、外交家。

《出关》、《起死》、《采薇》、《非攻》等篇，粗心一看，好像是漫画化的作品，但其实主题是极严肃的，那是先秦思想家的侧面。鲁迅抓着这一点，写在小说上，使他们具体化了。

《故事新编》还有一个特点，就是把古人古事和今人今事，相提并论，即用古人的骸骨来衬托今日的世界，使人感着同样的愤激、感慨、欢喜、忧愁。

《理水》里所写文化山上的议论，奇肱国的故事，考察员的调查灾情，学者们的条陈善后，小百姓的献进民食等，不是用别的形式写着当时中国的脸吗？刻画得最深刻的是关于理水的论辩。大禹考查回来了，于是发表理水的计划，不是湮而是导。但大员们都不同意，有的说导是蚩尤的方法；有的说湮是老大人的成法，而且湮的结果，洪水的深度也浅了一点，所以必须“照着家法，挽回家声”。但大禹听了，却笑起来：

> 我知道的。有人说我的爸爸变了黄熊，也有人说他变了三足鳖，也有人说我在求名，图利。说就是了。我要说的是我查了山泽的情形，征了百姓的意见，已经看透实情，打定主意，无论如何，非“导”不可。

然而中国当时竟没有一个禹爷或禹爷们，所以题目应当改为洪水。而《理水》末尾一句“天下太平到连百兽都会跳舞，凤凰也飞来凑热闹”，就应当写为“时日曷丧，予及汝偕亡”。

读了《非攻》，使人常想起墨子对他的门人管黔敖所说却楚伐宋的办法：“你们仍然准备着，不要只望口舌的成功。”有了物质上的准备，口舌就有作用了。于是他敢于向公输子陈述攻宋的失算：不智、不仁、不忠、不知类等等；敢于对楚王直说攻宋是他犯了偷摸病；公输子要杀他，也敢于直说：就是杀掉我也还是攻不下来宋国！这战法终于感动了楚王，使楚王也说：我也不去攻宋罢。但是当时中国并没有墨子这样的人，靠着准备又用着口舌去应付侵略。于是只有建筑给老百姓看的“防御工程”；只有“有名无实之抗日军人”；只有“缩短防线，诱敌深入之类的策略”；只有让蛮子们、青天大老爷们用着以华制华的方法。

这八篇小说里借着某人某事来影射或讥刺时人时事的也常出现。例如刺无是非观者罢，就用了庄周和活尸的对话：

> 你且听我几句话：你先不要专想衣服罢，衣服是可有可无的，也许是有衣服对，也许是没有衣服对。鸟有羽，兽有毛，然而王瓜茄子赤条条。此所谓“此亦一是非，彼亦一是非”，你固然不能说没有衣服对，然而你又怎么能说有衣服对呢？……
>
> ——《起死》

这虽然是信口开河，随意点染的话，但并非无根的胡说。并且借着蝴蝶变庄周、庄周变蝴蝶的人的口吻骂了能说不能行的第三种人了。

而写得最帖切的还是讽刺为艺术而艺术的一节。话说伯夷、叔齐都饿死于首阳山的石洞了，村人们忙着商量为他们立石碑，还请原是殷的遗臣，当时为隐士的小丙君写行状，但行状未写，却先请出了小丙君的文学评论来了。

> 他们不配我来写，——他说——都是昏蛋。跑到养老堂里来，倒也罢了，可又不肯超然；跑到首阳山里来，倒也罢了，可是还要做诗；做诗倒也罢了，可是还要发感慨，不肯安分守己，为艺术而艺术。你瞧，这样的诗，可是有永久性的：
>
> 上那西山呀，采它的薇菜，
> 强盗来代强盗呀，不知道这的不对。
> 神农、虞、夏一下子过去了，我又那里去呢？
> 唉唉死罢，命里注定的晦气！
> 你瞧，这些是什么话？温柔敦厚的才是诗。

他们的东西，却不但怨，简直骂了。没有花，只有刺，尚且不可，何况只有骂。

——《采薇》

大概有金钱有地位像小丙君其人，自然要骂为人生的文学家伯夷、叔齐了。由他们推论起来，穷，做不出诗来，有所为，有议论，就失了诗的敦厚和温柔，尤其有矛盾，做不成诗人。总之，穷人和文学不相干，为艺术而艺术，这才是文学的正宗。

历史小说的试作，给了模仿者不少的影响。《补天》之后，写历史小说的人，大抵有两条可模仿的路：其一是试作事无大小，言必有据的历史故事。这也有极大的用处，因为用现代眼光，来鉴定史料，又用文学体裁写出来，这是整理中国史籍的初步，带着还可鼓舞青年们读历史的兴趣。其二是不离古书上的根据，而多少加上作者的意想的，这是有意对鲁迅的修正，这做法的好处是作者的点染并非随意而也有所本。所以故事的可信性是更大了。但不容易做，因为意想的被拘束也更大，在极狭隘的范围里去推敲，非文学高手也做不好。有意向

第一条路走的有宋云彬的《玄武湖之变》，书中每篇故事都有所根据，不过加上作者的史眼，用文学体裁写出来而已。走第二条路的有郭沫若、茅盾等，而郭沫若的《秦始皇将死》、《楚霸王自杀》、《孟夫子出妻》、《孔夫子吃饭》等，也是成功的作品，而讽世的寄意也不下于《故事新编·非攻》以下各篇。

五 古小说的影响

读过《中国小说史略》、《小说旧闻钞》、《唐宋传奇集》，以及《古小说钩沉》的人，大概没有不惊异于鲁迅对于小说知识的精博和搜集小说史料的精勤。因为对于古小说有深湛的修养，所以在文章上也常留着小说中的故事和人物的痕迹。

研究古文学的影响问题，不是无益的。对于先代的文学，有取了好处的，有取了无用之处的，有取了坏处的。至于昏瞶的人，凡是好的，他总得不到。这是鲁迅对于主张剽窃无用论（其实这是关于文学遗产取用的问题）的人的驳斥。在这里，我们可以看出对于古文学的自由使用，自由批评。这给后人留下一个示范，教我们如何接受和利用文学遗产的。

鲁迅常用古人古事来比喻今人今事的。例如对于不长进的甘自菲薄、掉了鼻子还说是祖传老病，而夸示于众的人，就说这是《水浒》中牛二的态度。又如驳鄙薄白话，以为白话鄙俚浅陋的雅人们就用《镜花缘》中的酒保。这位酒保高雅得很，一开口就说："酒要一壶乎，两壶乎？菜要一碟乎，两碟乎？"但可惜雅人究不如酒保一般，开口还是鄙俚浅陋。他讽刺"普遍的做戏"的中国人,又用了关云长和林黛玉。杨小楼做《单刀赴会》，在戏台上是关夫子，梅兰芳做《黛玉葬花》，在戏台上是林妹妹，但一下台，依然是平常人。如果他们永远提着青龙偃月刀或锄头，以戏中人自命，这就是"普遍的做戏"。还有《红楼梦》的故事。宝玉有一次去看黛玉，她睡了。他不想惊动她，见了紫鹃正在回廊上做针线，问黛玉的病，紫鹃说好些了。宝玉说：阿弥陀佛，宁可好了罢。紫鹃笑说：你也念起佛来，真是新闻。宝玉也笑说：所谓病笃乱投医了。又用了这句话来嘲笑国民党学修文德的人，做皇帝做倒楣了，于是和文人学者扳一下子相好，以为他们有治国平天下的经纶，再垂询一番，这就是“病笃乱投医”。这里最神妙的是一个乱字，这一面是乱问，那一面是乱投，知也难，行也难，知难问于行难，就是“知难行亦不易”。对于国民党的文妖们，如吴稚晖、汪精卫辈，忽而老旦出场，大喊杀、杀、杀！忽而玩笑旦出场，一把眼泪一把鼻涕的诉苦，如老鸨母哭火坑；又说这是大观园的人才。这些人忽而用单方，忽而用复药，他们其实做了寓言的药渣，药被煎尽了汁水，成了渣，或被人吸尽了精髓，成为废物，那时也许连狗子都要加以践踏的了。

文学有普遍性有永久性吗？鲁迅以为文学是有普遍性的，但这普遍性却因读者的体验的不同而有变化，为证明这道理，又用了林黛玉：

> 我们看《红楼梦》，从文字上推见了林黛玉这一个人，但须排除了梅博士的《黛玉葬花》照相的先入之见，另外想一个，那么，恐怕会想到剪头发，穿印度绸衫，清瘦，寂寞的摩登女郎，或者别的什么模样，我不能断定。但试

去和三四十年前出版的《红楼梦图咏》之类的画像比一比罢，一定是截然两样的，那上面所画的，是那时的读者心目中的林黛玉。

——《花边文学·看书琐记（一）》

文学也有永久性的，但又因读者的社会体验而生变化的，没有这样的体验也不会起同样的感应：

北极的遏斯吉摩人和非洲腹地的黑人，我以为是不会懂得“林黛玉型”的；健全而合理的好社会中人，也将不能懂得，他们大约要比我们听讲秦始皇焚书，黄巢杀人更其隔膜。

用社会的体验来解释文学的普遍的和永久的意义，是极帖切的，但所用的比喻，依然是小说里的人事。一用，人们看到，什么难以说明的问题也都一目了然了。

还有作品中的模特儿的问题。作者取人为模特儿，不论专用一个人，或杂取各种人合成一个，如果作者的手腕高明，读者所见者就只有书中人，和实有的人倒不相干了。如阿Q、孔乙己、祥林嫂、高老夫子，不论是一个人的模写，或是各种人的撮合和概括，由于作者的文学技术高妙，我们读了，只知道阿Q等如何如何，至于他所取为模特儿的事的人和我们已不相干了。说明这点，又用了《红楼梦》和《儒林外史》，并批评了胡适之：

> 《红楼梦》里贾宝玉的模特儿，是作者自己曹霑，儒林外史里马二先生的模特儿是冯执中，现在我们所觉得的却只是贾宝玉和马二先生，只有特种学者如胡适之先生之流，这才把曹霑和冯执中念念不忘的记在心儿里：这就是所谓人生有限，而艺术却较为永久的话罢。
>
> ——《且介亭杂文末编·〈出关〉的关》

抱着这特种观点的人去读小说，或考证小说，对于小说里的事物，定要寻根问柢，必得着实物对照然后心快，读到大观园，就想找随园来对照，找不着了就不满于作者，“人生有限而艺术却较为永久”，这道理是这些特种学者们所不能了解的。

但鲁迅取用古文学遗产，最著成绩的，还是取了古文学作者的人生观，来批评现代的某种中国人。

第一，上谄下骄，居一人之下，在众人之上的奴才相，原是某种中国人所共有的性格。鲁迅的功绩不但创造了这种典型的人物，并且在古书里寻出他们的历史渊源来。春秋战国的孔墨及其门徒，靠圣君来行道，行道者，临下也，靠者，借君之威力也。但必须靠才能临下，于是又托出一个“天”来，用以压服人主，好使他们在上下之间来操纵。所谓“挟天子以令百姓”，就是这种用意。汉的时候，“儒以文乱法，而侠以武犯禁”，但乱和犯，只是闹点小乱子，并不是叛国。唐宋以来的大侠，他们所反对的是奸臣，不是天子，所打劫的为平民不是将相，作证有一部《水浒传》；清朝，侠客们只随着一个大官员，为他去维持秩序，证据有《三侠五义》、《施公案》、《彭公案》等。（《三闲集·流氓的变迁》）

这是中国封建道德的一面，鲁迅在照像中的“二我图”，又见了这种熟悉的人物了，即是自己先照两张相片，服饰态度全不相同，又合照为一张，两个自己成了两个人，主人和仆人，主人是道貌岸然的坐着，而仆人却又可怜地跪着。这倚徙于主仆之间的人的照像，确是“中国伦理学的根本问题”的最好插图。还有洋场上的流氓，靠旧道德，又靠洋章程，向着小百姓大逞威风。还有，忽而用竞争说，忽而用互助论。总之，忽而这样，忽而那样，随时拿了各种各派的理论来作武器的人，都是流氓。这种风尚推广起来，国粹家兼西崽，学者兼奴才，高等华人兼卖国者，都是某种人的特有性格。

第二，三教同源说，又名无特操说。这是《西游记补》这一类书的作者们的世界观，又是中国的国粹。古代的名人隐士，手上总有三种东西：（一）《论语孝经》，（二）《老子》和（三）《维摩诘经》。说儒经，又归心于佛，自己念佛，又教弟子学鲜卑语、弹琵琶，这是“北朝式道德”。总之三教原是一体。这影响了小说家的创作，再影响了某种人的为人。如被讥为吃教的耶稣教徒，被讥为专求功名利禄的八股文作者，被讥为上天梯的文人学士，被讥为吃革命饭的英雄们，都是这同一世界观的信奉者。“有宜于专吃的时代，则指归应定于一尊，有宜于合吃的时代，则诸教亦本非异致。”——这就是这种人的品德。

第三，夸大、造谣、隐瞒、欺骗也是中国古文学的通病。《诗》、《书》早有歌功颂德的文篇，春秋战国，更多纵横捭阖的策士。李长吉想学刺客，陆放翁想出塞外；称贵相，说两耳垂肩，说愁容，写白发三千丈，戏台上走出几个瘦戏子，就是十万精兵。还有白鼻梁表丑角，花脸表强者，执鞭子代骑马，推手代开门。据此，鲁迅认为这是中国文学的积弊。自然，文学上的夸张，在有真实的根据之下也是必要的。歌颂也不能一概而论，有歌颂光明的，也有歌颂黑暗的。但鲁迅所竭力打击的，还是这样的事：明明专以诬蔑为能事的，却又公开声明，投稿“如含攻讦个人或团体性质者，恕不登载”；忽而说“坐不改名，行不改姓”，忽而又说“有时用其他笔名者”；自己办书店、出杂志、编年鉴，说自己的议论和创作都行。还有：

> 拾些琐事，做本随笔的是有的；改首古文，算是自作的是有的。讲一通昏话，称为评论；编几张期刊，暗捧自己的是有的。收罗猥谈，写成下作；聚集旧文，印作评传的是有的。甚

至于翻些外国文坛消息，就成为世界文学史家；凑一本文学家辞典，连自己也塞在里面，就成为世界的文人的也有。

——《伪自由书·文人无文》

文人无文又无行，影响所及，武人也不武又不德了。明明是不抵抗的，不妨说是枕戈待旦者，明明是发国难财的，不妨说是卧薪尝胆者，明明是出卖灵魂的，不妨说是尽忠报国者。

关于改订版的几句话

本书写于一九四〇年，已是九年前之作。原稿当初是预备在国民党统治区出版的，为着通过国民党反动政府的检查网，行文多所忌讳，有好些科学的名词，都不能用。在初版的时候，有的已经改正，如今改订重印，大凡隐约之辞，都有所修正。但限于原来形式，只略加改订，改作则有待于将来了。

我们现在要学习鲁迅，首先是学习鲁迅怎样走上马克思列宁主义的道路，鲁迅走上这一条道路，是经过很曲折的过程，从实际的革命斗争中体验出来的，他经过很深刻的自我批评，然后用马克思列宁主义武装自己，而成为中国工人阶级的杰出的文学家、思想家与革命家。

“事变是发展得这样快，以至使很多人感到突然，感到要从新学习。”（《论人民民主专政》）在这历史大转变的年头，要从头学起，由此而学习鲁迅如何走上马克思列宁主义——毛泽东思想的道路，对于知识分子有极大的意义。本书在鲁迅思想的发展上，有所论述，目前对于读者们，还有一点用处的。

一九五〇年一月一日。

三联经典文库第二辑简目

《游击战教程》　明凡 / 著

《游击战术纲要》　陶剑青 / 编著

《汪精卫卖国的理论与实践》　钱俊瑞 / 著

《抗战以来》　韬奋 / 著

《陕行纪实》　楚云 / 著

《随军散记》　沙汀 / 著

《被日寇囚系半载记》　王研石 / 著

《倭营历险记》　房沧浪 / 著

《活跃的新西北》　田影 / 编著

《保卫华北的游击战》　刘清扬　陈北鸥等 / 著

《徐州突围》　《徐州突围》编委会 / 编

《沦亡的平津》　长江　小方等 / 著

《淞沪火线上》　胡兰畦等 / 著

《瞻回东战场》　长江　罗平 / 著

《东线的撤退》　胡兰畦等 / 著

《抗战中的西北》　徐盈 / 著

《鲁闽风云》　徐盈等 / 著

《西线生活》　西北战地服务团集体创作

《中国解放区见闻》　［美］福尔曼著 / 朱进译

《全面抗战论》　潘汉年 / 著

《日本的间谍》　范士白自述 / 尊闻译

《日本大陆政策的真面目》　国难资料编辑社 / 编

《民众动员论》　李公朴 / 著

《中国外交史》　钱亦石 / 编著

《太平洋军事地理》　蒋震华 / 著

《世界经济地理讲话》　思慕 / 著

《列强军力论》　［德］马克斯 · 威纳尔著 / 宾符　仲持　梅益等译

《近代国际关系史》　张铁生 / 著

《太平洋现势手册》　沈志远　石啸冲 / 编著

《近代世界政治史》　钱亦石 / 著

《从战争到和平——一九四五年的世界政治》　乔木 / 著

《战后日本问题》　思慕 / 著

《最近一年间的国际动态（1946.7–1947.6)》　《东北日报》社 / 编

《论政党》　翟放 / 著

《法与宪法》　韩幽桐 / 编著

《中华民国宪法刍议》　罗家衡 / 著

《民主 · 宪法 · 人权——作之民》　费孝通 / 著

《宪法论初步》　潘念之 / 著

《对反民主的抗争》　韬奋 / 著

《农村改进的理论与实际》　江恒源 / 著

《上海产业与上海职工》（上下）　　朱邦兴　胡林阁　徐声 / 合编

《陶行知教育论文选辑》　　陶行知著 / 方与严编

《中国通货膨胀论》　　杨培新 / 著

《中国及其未完成的革命》　　H·普拉特著 / 蒋天佐译

《中国的建设问题与人的训练》　　卢作孚 / 著

《论中国特殊性及其他》　　艾思奇 / 著

《中国经济问题讲话》　　钱俊瑞　徐雪寒　王渔邨　姜君辰　骆耕漠 / 合著

《中国经济的道路》　　许涤新 / 著

《中国财政之病态及其批判》　　孙怀仁 / 著

《官僚资本论》　　许涤新 / 著

《五四运动之史的评价》　　陈端志 / 著

《中国通史简编》（上下）　　中国历史研究会　范文澜 / 主编

《论文学的工农兵方向——读〈在延安文艺座谈会上的讲话〉》　雪苇 / 著

《中国近代史（上编　第一分册）》　　武波 / 编著

《文学百题》　　傅东华 / 编

《中国史学之进化》　　周谷城 / 著

《论民族形式问题》　　胡风 / 著

《论批评》　　荃麟等 / 著

《中国史纲》（第一卷上下、第二卷上下）　　翦伯赞 / 著

《近代中国思想学说史》（1–4）　　侯外庐 / 著

《中国政治思想史》（上下）　　吕振羽 / 著

《中国哲学史纲要》　　向林冰 / 著

《中国政治史讲话》　　钱亦石 / 著

《中国社会经济史纲》　　王渔邨 / 著

《新财政学大纲》　　千家驹 / 著

《太平天国革命运动论文集——金田起义百周年纪念》

华北大学历史研究室 / 编

《理性与自由——文化思想批评论文集》　　胡绳 / 著

《战斗者的诗人》　　黄药眠 / 著

《国语文法》　　曹朴 / 著

《教育哲学》　　张栗原 / 著

《妇女问题讲话》　　杜君慧 / 著

《婚姻 · 子女 · 继承》　　沙千里 / 著

《性教育新论》　　布士克　雅各生合著 / 董秋斯译

《狱中杂感》　　杜重远 / 著

《七人之狱》　　沙千里 / 著

《爱迪生传》　　伍况甫 / 译

《歌德自传》（上下）　　歌德著 / 思慕译

《尼赫鲁自传》　　[印度] 尼赫鲁著 / 毕来译

《列宁传》　　[苏] 凯尔任采夫著 / 企程　朔望译

《罗斯福总统传》　　C．Mackenzie 著 / 张尚之译

《托尔斯泰传》（1–3）　　[英] 阿尔麦 · 莫德著 / 徐迟译

《革命文豪高尔基》　［美］亚历山大·康恩著 / 韬奋编译

《鲁迅纪念特辑》　新中国文艺社 / 编

《回忆鲁迅先生》　萧红 / 著

《人民文豪鲁迅》　平心 / 著

《亡友鲁迅印象记》　许寿裳 / 著

《鲁迅思想研究》　何干之 / 著

《鲁迅研究》　夏征农 / 编

《过来的时代：鲁迅论及其他》　雪峰 / 著

《电影戏剧表演术》　洪深 / 著

《日常心理漫谈》　［美］约瑟夫·查斯特罗著 / 曾宝施译

《心理常识漫话》　朱智贤　杨云美 / 著

《读书的方法与经验》　王任叔 / 著

《美国黑人生活纪实》　［美］加德维尔　斯坦倍克著 / 董秋斯译

《初访美国》　费孝通 / 著

《事业与成功》　［美］马尔腾著 / 汪原放译

《萍踪寄语（初集）》　韬奋 / 著

《一生的幸福前途——〈生活周刊〉信箱选集》　生活书店 / 编选

《深刻的印象》　生活周刊社 / 编

《海外的感受》　生活书店编译所 / 编

ISBN 978-7-108-04461-7
9 787108 044617 >
定价：34.00元